MU

Libre Expression

Une compagnie de Quebecor Media

Sommaire

Gauche **Deutsches Museum** Centre **Frauenkirche** Droite **Alte Münze**

Libre Expression
Une compagnie de Quebecor Media

DIRECTION
Nathalie Pujo

RESPONSABLE DE PÔLE ÉDITORIAL
Cécile Petiau

RESPONSABLE DE COLLECTION
Catherine Laussucq

ÉDITION
Émilie Lézénès et Adam Stambul

TRADUIT ET ADAPTÉ DE L'ANGLAIS PAR
Dominique Brotot
avec la collaboration d'Isabelle Guilhamon

MISE EN PAGES (PAO)
Maogani

Ce guide *Top 10* a été établi par
Elfi Ledig

Publié pour la première fois en
Grande-Bretagne en 2005 sous le titre:
*Eyewitness Top 10 Travel Guides:
Top 10 Munich*

© Dorling Kindersley Limited,
Londres 2011
© Hachette Livre, 2011
(Hachette Tourisme)
pour la traduction et l'édition française

© Éditions Libre Expression, 2011
pour l'édition française au Canada

Tous droits de traduction,
d'adaptation et de reproduction réservés
pour tous pays.

IMPRIMÉ ET RELIÉ EN CHINE

Les Éditions Libre Expression
Groupe Librex inc.
Une compagnie de Quebecor Media
La Tourelle
1055, boul. René-Lévesque Est, Bureau 800
Montréal (Québec) H2L 4S5
www.edlibreexpression.com

Dépôt légal: Bibliothèque et Archives
nationales du Québec, 2011

ISBN 978-2-7648-0563-3

Sommaire

Munich Top 10

Aussi soigneusement qu'il ait été établi, ce guide n'est pas à l'abri des changements de dernière heure. Faites-nous part de vos remarques, informez-nous de vos découvertes personnelles: nous accordons la plus grande attention au courrier de nos lecteurs.

Abréviations : EP *Entrée payante* **EG** *Entrée gratuite* **C** *Climatisation* **PC** *Pas de climatisation*

Gauche **Antiquarium, Residenz** Centre **Château de Nymphenburg** Droite **Oktoberfest**

Gauche **Theatinerkirche** Droite **Fischbrunnen de la Marienplatz**

 Abréviations : j.f. *jour férié* **t.l.j.** *tous les jours*
AH *Accès handicapés* **PAH** *Pas d'accès handicapés*

TOP 10
MUNICH

🔟 À ne pas manquer

*De la cité où il vécut de nombreuses années, l'écrivain Thomas Mann a dit :
« Munich brille. » Et il est vrai que le ciel de la « plus septentrionale des villes
italiennes » est souvent d'un bleu éclatant, que mettent en valeur quelques
nuages blancs. Deux vastes espaces verts, l'Englischer Garten et les prairies
de l'Isar, aèrent le centre de la capitale bavaroise, laquelle a pratiquement
le lac de Starnberg et les Alpes à sa porte. Une longue et riche histoire
a doté Munich de nombreux monuments et de remarquables collections
d'art. Son dynamisme entretient une intense vie culturelle.*

Deutsches Museum
Le plus ancien et le plus
riche musée du monde
consacré aux sciences et
aux technologies attire plus
de 1,3 million de visiteurs
chaque année *(p. 8-11)*.

Schloss Nymphenburg
L'élégant palais d'été
construit en 1664 pour
l'électeur Ferdinand-
Marie abrite de
nombreux trésors, dont
la galerie des Beautés
de Louis Ier *(p. 12-13)*.

Quartier des musées
Il renferme trois
prestigieuses collections
de peintures. La plus ancienne
est exposée dans l'Alte
Pinakothek, qui occupe
un bâtiment datant de 1836.
Elle comprend des chefs-
d'œuvre de peintres
du Moyen Âge et de la
Renaissance, comme
Albrecht Dürer *(p. 14-17)*.

Olympiapark
Le toit souple du
stade du complexe
olympique, aménagé
pour les Jeux de 1972,
était à l'époque une
réelle innovation
architecturale. Il
protège aujourd'hui le
plus grand centre de
remise en forme de la
ville et offre un but
d'escalade original
(p. 18-19).

Residenz
La Résidence
des souverains bavarois
a connu bien des
agrandissements depuis
sa construction, en 1385
(p. 20-21).

Olympiapark

3km

PLATZ DER FREIHEIT

NYMPHENBURGER STRASSE

Max-
vorstadt

Schwanthaler-
höhe

Theresienwiese

6 Oktoberfest
Quelque 6 millions de personnes assistent chaque année à la plus grande fête populaire du monde. Vieille de deux siècles, elle a lieu sur le champ de foire *(p. 22-23)*.

7 Biergarten
Les jardins à bière, où l'on peut apporter son pique-nique, entretiennent une tradition de convivialité très agréable aux beaux jours *(p. 24-25)*.

8 Autour de la Marienplatz
Le Neues Rathaus, nouvel hôtel de ville néogothique s'élève sur la place Sainte-Marie. Les figurines du carillon s'animent trois fois par jour sur la tour de l'horloge *(p. 26-27)*.

Munich et ses environs

9 Neuschwanstein
L'admiration que Louis II portait à Wagner lui inspira son plus beau château. Mais le souverain n'y vécut que quelques mois *(p. 28-31)*.

10 Starnberger See
Stations de villégiature et palais d'été bordent le charmant lac de Starnberg. Proche de Munich, il est accessible à bicyclette *(p. 32-33, 71)*.

Avec 1,3 million d'habitants, Munich est la troisième ville la plus peuplée d'Allemagne.

⑩ Deutsches Museum

Fondé en 1903 par Oskar von Miller, le plus grand musée du monde consacré aux sciences et aux technologies occupe, sur l'île de l'Isar, un édifice de 1925 où éléments modernes, néoclassiques et néobaroques se juxtaposent. Ses collections, trop riches pour être découvertes en une seule journée, retracent l'histoire de l'évolution des techniques.

Museum Insel, au milieu de l'Isar

🅞 Le musée possède une cafétéria. Vous pouvez lui préférer le Café im Volksbad, installé dans le splendide bâtiment Art nouveau des bains Müller, en face.

🅒 La boutique vend des jeux, des maquettes, des robots, des instruments, des affiches et des livres.

• Museumsinsel 1
• S-Bahn : Isartor (toutes lignes), U1/U2 : Fraun-hoferstraße, tram : 17, 18 • plan M6
• (089) 21 79-1
• www.deutsches-museum.de
• ouv. t.l.j. 9h-17h (certains départements jusqu'à 20h jeu.)
• f. 1er janv., Mardi gras, Vendredi saint, 1er mai, 1er nov., 21, 24-25, 31 déc.
• EP 8,50 € (TR 3 € et 7 €) ; billet familial 17 € ; 6-15 ans 3 € ; EG moins de 6 ans ; ticket combiné (musée et annexes) 15 €.

À ne pas manquer

1. Atelier de Galilée
2. Pharmacie
3. Machine Enigma
4. Planétarium Zeiss
5. Exploitation minière
6. Instruments de musique
7. Aéronautique et aérospatiale
8. Moteurs
9. Télécommunications
10. Navigation

① Atelier de Galilée
Le célèbre astronome du XVIIe s. disposait d'un matériel rudimentaire, comme le montre une reconstitution de son lieu de travail *(ci-dessus)*.

② Pharmacie
Cette fascinante section comprend une spectaculaire cellule humaine grossie 50 000 fois *(ci-dessous)*.

③ Machine Enigma
Cette machine d'encodage *(ci-dessus)* illustre les débuts de la technologie de l'information.

Plan du Deutsches Museum

④ Planétarium Zeiss
Une coupole de 15 m de diamètre sert à la projection d'images du Soleil, de la Lune, des planètes, de plus de 5 000 étoiles visibles à l'œil nu, et de constellations.

Les billets pour les projections du planétarium Zeiss, situé au 6e étage, sont vendus séparément au prix de 2 €.

7 Aéronautique et aérospatiale

La collection comprend des douzaines d'avions, dont un prototype des frères Wright. Les visiteurs peuvent même monter à bord de certains. L'exposition se poursuit au Flugwerft Schleißheim *(p. 11)*.

9 Télécommunications

Ce département abrite des pièces rares, dont le premier télégraphe, un gramophone de Thomas Edison et un émetteur AEG de 1913. Les dernières avancées technologiques ne sont pas pour autant oubliées.

5 Exploitation minière

Des reconstitutions montrent les conditions de travail des mineurs dans le passé *(ci-dessus)*.

Légende du plan

	Rez-de-chaussée
	1er étage
	2e étage
	3e au 6e étage

10 Navigation

Une vaste salle contient d'innombrables maquettes, ainsi que plusieurs véritables navires, dont le *Renzo*, un remorqueur à vapeur de 1932, et un bateau de pêche en bois, l'*Ewer Maria (ci-dessus)*.

Suivez le guide !

Le musée présente 25 000 pièces sur les 100 000 que compte la collection. Les étages inférieurs abritent les véhicules lourds, les sections de chimie et de physique et l'aéronautique. Les niveaux intermédiaires sont consacrés aux arts décoratifs, les plus élevés à l'astronomie, à la technologie de l'information et à la microélectronique. La coupole du planétarium se trouve au 6e étage.

6 Instruments de musique

Hitchcock utilisa le trautonium *(ci-dessous)* pour son film *Les Oiseaux*.

8 Moteurs

De l'effort musculaire aux turbines à gaz, sans oublier les moteurs à vapeur *(ci-dessus)*, l'exposition témoigne de l'évolution des énergies utilisées par l'homme.

➜ *Départements du Deutsches Museum* p. 11

Gauche **Hall de la section Aéronautique** Centre **Planétarium** Droite **Maquette du pont de Neuilly**

Collections du Deutsches Museum

1 Physique et astronomie

Des appareils et des machines, comme des poulies et des pompes, montrent comment l'homme tire profit des lois de la nature. Le pendule de Foucault fait partie des instruments de mesure exposés. La section consacrée à l'astronomie résume ce que nous savons de l'univers.

2 Horlogerie, chimie, pharmacie et environnement

La mesure du temps a donné lieu, au fil des siècles, à la création de magnifiques pendules et montres. Les salles consacrées à la chimie renferment les reconstitutions de laboratoires historiques, dont celui de Justus von Liebig. Les visiteurs peuvent eux-mêmes y effectuer des expériences. Une exposition illustre l'évolution de la recherche pharmaceutique, une autre aborde les grands problèmes écologiques.

3 Exploitation minière, métallurgie, et agriculture

La visite d'une mine reconstituée, au sous-sol, est une bonne introduction au survol de 12 000 ans de travail des métaux. Ceux-ci ont, entre autres, servi à la fabrication d'outils et de machines agricoles très variés.

Sextant, G. F. Brander, 1760

4 Verrerie, céramique et outillage

Cette section consacrée aux techniques de production retrace les progrès de la fabrication du papier et du verre, et de la cuisson de l'argile (briques, porcelaine de Chine, etc.). Depuis le foret à archet de nos ancêtres de l'âge de pierre jusqu'au tour piloté par ordinateur, quel chemin parcouru !

5 Technologie de l'énergie

L'exposition proposée tente de répondre à une question fondamentale : de quelle quantité d'énergie l'homme a-t-il besoin, et sous quelle forme ?

6 Communications

La télégraphie et la radiotransmission, la photographie, l'imprimerie ou encore le cinéma comptent parmi les techniques présentées. Les ordinateurs des années 1940 et 1950 paraissent antédiluviens.

7 Navigation

De nombreuses maquettes et de véritables embarcations, entre autres, évoquent plusieurs siècles d'histoire maritime. La vedette de sauvetage *Theodor Heuss* est exposée à l'extérieur.

Le musée propose beaucoup d'autres expositions d'un grand intérêt, notamment une reconstitution de la grotte d'Altamira.

Aéronautique et aérospatiale

De la montgolfière aux avions à réaction, en passant par les planeurs et les biplans, les appareils exposés dans le grand hall offrent un résumé parfait de 220 ans d'histoire de l'aviation. La section consacrée à l'espace abrite une réplique du *Spacelab* et une authentique capsule Soyouz.

Génie civil

Les visiteurs peuvent emprunter un pont suspendu, dont des écrans, sur les murs, révèlent les oscillations.

Royaume des enfants

Il est réservé aux scientifiques en herbe (à partir de trois ans) et aux adultes qui les accompagnent.

Avions et véhicules à ne pas manquer

1 Fokker D VII (Première Guerre mondiale)
2 Douglas DC-3, transport commercial, 1943
3 Heinkel He 111 (Seconde Guerre mondiale)
4 Lockheed F-104 Starfighter
5 Dornier Do31, appareil à décollage vertical
6 Puffing Billy (première locomotive du monde)
7 Vélocipède de Drais
8 Automobile de Benz (la première du monde)
9 « Tropfenwagen » de Rumpler (1921)
10 NSU Delphin III, motocyclette, 1956

Halle du centre de la Circulation
La halle dédiée aux transports urbains abrite une splendide collection de véhicules de tous âges.

Les annexes

Hall d'exposition du Flugwerft Schleißheim

Le Flugwerft Schleißheim, l'annexe du Deutsches Museum consacrée à l'histoire de l'aéronautique, occupe un ancien chantier d'aviation (Effnerstraße 18, Oberschleißheim ; 089/31 57 14-0). D'une superficie de 78 000 m², le site d'exposition abrite plus de 50 aéroplanes, hélicoptères et deltaplanes, ainsi que des moteurs et des simulateurs.
Le Flugwerft Schleißheim propose des visites guidées pour enfants et pour amateurs avertis et accueille des expositions temporaires. Il possède une boutique et un restaurant, Le Pegasus, où de jeunes artistes présentent leurs œuvres toute l'année.

Le Verkehrszentrum, ou centre de la Circulation est situé sur la Theresienhöhe (Theresienhöhe 14a ; 089-500 80 67 62). Jadis, la Foire de Munich se tenait dans ses trois halles, aujourd'hui classées monuments historiques. Celles-ci renferment des locomotives, des automobiles, des voitures à cheval et des deux-roues. Il s'agit du plus grand musée des transports du monde. La collection ne se contente pas de proposer une vision historique des modes de déplacement, elle s'interroge aussi sur les rapports entre mobilité et technique. Le Verkehrszentrum accueille également des expositions temporaires.

> *Informations sur les annexes du musée : www.deutsches-museum.de*

Schloss Nymphenburg

Pour célébrer la naissance de leur fils en 1662, l'électeur Ferdinand-Marie et son épouse, Henriette-Adelaïde de Savoie, commandèrent à Agostino Barelli un palais d'été de style italianisant à l'est de Munich. Leurs successeurs l'agrandirent à partir de 1701. Ils firent construire les deux vastes ailes qui encadrent le corps de bâtiment originel, ainsi que les dépendances formant un demi-cercle autour du grand bassin. Ils aménagèrent aussi un grand parc agrémenté de pavillons, qui se prête à la flânerie.

Canal des jardins à la française

🍴 Le café de la Palmenhaus est l'endroit idéal pour faire une pause (089-17 53 09).

🎧 Les audioguides sont payants.

- *Schloss Nymphenburg*
- *trams 12, 16, 17, bus 51*
- *plan A2-A3 et B2-B3*
- *(089) 179 08-0*
- *Schloss, pavillons et Marstallmuseum : ouv. avr.-mi-oct. t.l.j. 9h-18h ; mi-oct.-mars t.l.j. 10h-16h • f. 1er janv., Mardi gras, 24, 25 et 31 déc.*
- *EP (château, pavillons et Marstallmuseum) 10 € (TR 8 €) ; en hiver 8 € (TR 6 €)*
- *Schlosspark : ouv. janv.-fév., nov. t.l.j. 6h30-18h ; mars t.l.j. 6h-18h30 ; avr.-sept. t.l.j. 6h-20h30 ; mai-août t.l.j. 6h-21h30 ; oct. t.l.j. 6h-19h ; déc. t.l.j. 6h30-17h30*
- *EG*
- *visites guidées du parc gratuites au printemps et en automne*
- *www.schloss-nymphenburg.de*

À ne pas manquer

1 Palais
2 Galerie des Beautés
3 Steinerner Saal
4 Lackkabinett
5 Jardins
6 Marstallmuseum
7 Amalienburg
8 Pagodenburg
9 Badenburg
10 Magdalenenklause

1 Palais

Maximilien II Emmanuel et Karl Albrecht étendirent la villa originelle de 1664 en faisant ajouter des bâtiments, dessinés par Zuccalli et Effner. Reliés à l'édifice principal par des galeries, ils contribuent à l'harmonie de l'ensemble *(à droite)*.

2 Galerie des Beautés

Louis Ier commanda au peintre Joseph Stieler cette collection de portraits. Lola Montès, la maîtresse du roi, comptait parmi les modèles à côté de jeunes Munichoises comme Helene Sedlmayr *(ci-dessus)*, la fille d'un tailleur.

3 Steinerner Saal

Pendant le règne de Maximilien III Joseph, Johann B. Zimmermann et François de Cuvilliés dotèrent la spacieuse salle de bal d'un superbe décor rococo.

4 Lackkabinett

Le pavillon des laques chinoises *(ci-dessous)* possède un somptueux parement mural du XVIIe s.

Dans une annexe, un musée retrace l'histoire de la manufacture de porcelaine fondée en 1747 et installée au château depuis 1761.

Jardins

5 Derrière le corps de bâtiment, les parterres géométriques des jardins à la française bordés par l'orangerie cèdent la place à un parc à l'anglaise, aménagé à partir de la forêt existant à l'époque. Pavillons, fontaines et bassins l'agrémentent.

Plan des jardins

Manufacture de porcelaine / *Orangerie*

Badenburg

9 Le pavillon des Bains renferme une salle de bal et un bassin considéré comme la première piscine d'eau chaude créée en Europe sur le modèle romain. Du papier peint chinois décore trois des pièces.

Magdalenen klause

10 Au terme d'une vie de plaisirs, Maximilien II Emmanuel fit aménager un ermitage où il comptait venir prier et méditer. Une grotte artificielle abritait la chapelle. Mais il mourut avant l'achèvement du bâtiment, en 1725.

Marstallmuseum

6 Les anciennes écuries abritent une collection de carosses, dont une voiture d'apparat de Louis II *(ci-dessous)*.

Pagodenburg

8 Dans ce pavillon du XVIIIe s. de plan octogonal *(ci-dessus)*, la décoration associe thèmes orientaux et occidentaux. Des carreaux de Delft ornent le rez-de-chaussée.

Amalienburg

7 Entre 1734 et 1739, François de Cuvilliés transforma, pour l'électrice Amélie, un petit pavillon de chasse en un chef-d'œuvre rococo *(à droite)*.

Histoire des jardins

Construit en 1664, puis agrandi en 1701, le jardin ornemental prend son visage classique à compter de 1715 sous la direction de Joseph Effner et Dominique Girard, un élève de Le Nôtre. Ces derniers le dotent d'un réseau de canaux, de fontaines, de parterres géométriques, de labyrinthes, de sculptures et d'un espace boisé, où se nichent plusieurs pavillons. Au XIXe s., Friedrich L. von Sckell réaménage le domaine et crée le parc paysager à l'anglaise.

Le Museum Mensch und Natur, dans l'aile droite du palais, présente une collection d'histoire naturelle : www.musmn.de

Quartier des musées – Alte Pinakothek

Quelques pâtés de maisons, près de la Königsplatz, renferment trois grands musées de peinture : l'Alte Pinakothek, la Neue Pinakothek et la Pinakothek der Moderne (p. 16-17), ainsi que quatre musées d'art – la Glyptothek, la collection nationale des Antiquités, la Lenbachhaus et le musée Brandhorst. Fondée par Louis Ier, l'Ancienne Pinacothèque occupe un édifice dessiné par Leo von Klenze. La collection, qui réunit les acquisitions des souverains bavarois et les trésors de monastères, compte de nombreux chefs-d'œuvre du XVIe au XVIIIe s.

Lion à l'entrée de l'Alte Pinakothek

L'Alte Pinakothek abrite le café Klenze, de style anglais, où l'on peut déguster en-cas ou pâtisseries.

Le prix d'entrée inclut parfois l'audioguide.

• **Alte Pinakothek**
Barer Str. 27,
(089) 23 805 216
• ouv. mar.-dim. 10h-18h (mar. jusqu'à 20h) ;
f. certains j.f.
• EP 7 € (TR 5 €) ;
dim. 1 €
• **Neue Pinakothek**
Barer Str. 29,
(089) 23 805 195
• ouv. mer.-dim. 10h-18h (mer. jusqu'à 20h) ;
f. certains j.f.
• EP 7 € (TR 5 €) ;
dim. 1 €
• **Pinakothek der Moderne** Barer Str. 40,
(089) 23 805 360
• ouv. mar.-dim.
10h-18h (jeu. jusqu'à 20h) ; f. certains j.f.
• EP 10 € (TR 7 €) ;
dim. 1 €
• plan K2
• U2 : Theresienstraße,
tram 27
• www.pinakothek.de

À ne pas manquer

1. Bataille d'Alexandre
2. Descente de croix
3. Pays de Cocagne
4. Déploration du Christ
5. Portrait de Ch. Quint assis
6. Enlèvement des filles de Leucippe
7. Portrait de Willem van Heythuisen
8. Le Christ dépouillé de ses vêtements
9. Les Quatre Apôtres
10. Adoration des Mages

Bataille d'Alexandre
Le chef-d'œuvre d'Albrecht Altdorfer date de 1529. Il représente la victoire d'Alexandre le Grand sur Darius *(ci-dessous)*.

Descente de croix
Ce tableau de 1633 témoigne de la maîtrise du clair-obscur par Rembrandt. Les peintres hollandais du XVIIe s. se sont aussi illustrés dans le paysage et les scènes de genre.

Pays de Cocagne
Cette représentation ironique des péchés de gourmandise et de paresse, réalisée par le maître de l'école flamande Pieter Bruegel l'Ancien *(ci-dessus)*, se trouve dans une section riche en œuvres de Rubens.

Déploration du Christ
Exécutée en 1495, cette composition raffinée de Sandro Botticelli est l'un des plus beaux tableaux de la collection italienne.

Portrait de Charles Quint assis
Le Vénitien Titien réalisa ce portrait de l'empereur en 1548, lors de sa visite à Augsbourg.

Le billet valable une journée coûte 12 € et comprend l'entrée pour les trois Pinakothek et le musée Brandhorst.

6 Enlèvement des filles de Leucippe
Une grande sensualité se dégage de cette scène de Rubens, de 1618 *(ci-dessus)*.

Entrée

Plan de l'Alte Pinakothek

Légende du plan

▪	Rez-de-chaussée
▪	Premier étage

9 Les Quatre Apôtres
La collection de Dürer retrace la carrière du génie de la Renaissance, de son *Autoportrait à la fourrure* (1500) à ces deux panneaux peints en 1526, deux ans avant sa mort.

10 Adoration des Mages
Fragment d'un retable, cette scène de style gothique tardif peinte par Hans Holbein l'Ancien remonte à 1502.

8 Le Christ dépouillé de ses vêtements
Réalisée entre 1590 et 1595, cette œuvre du Greco fait partie de la collection espagnole.

7 Portrait de Willem Van Heythuisen
Avec ce tableau datant de 1625-1630 *(ci-dessus)*, Frans Hals montre les qualités de portraitistes des maîtres baroques hollandais.

Suivez le guide

Les 19 salles principales et les 47 galeries latérales se répartissent sur deux niveaux. Le rez-de-chaussée abrite les peintures allemandes jusqu'à 1500.
Le premier étage renferme les œuvres allemandes à partir de 1500, celles des maîtres hollandais, des peintres de la Renaissance italienne et des artistes français, flamands et hollandais du XVIIe s.
Un ensemble plus modeste de toiles espagnoles complète cette collection.

L'Alte Pinakothek a été en grande partie reconstruite après la Seconde Guerre mondiale.

15

Gauche *Les Chevaux de Neptune* Centre *Le Pauvre Poète* Droite *Le Jeu des vagues*

TOP 10 Neue Pinakothek et Pinakothek der Moderne

Les Chevaux de Neptune
Dans ce tableau de 1892, Walter Crane concilie démarche préraphaélite et influences symbolistes et de l'Art nouveau.

Le Pauvre Poète
Cette célèbre peinture de Carl Spitzweg date de 1839. Elle est caractéristique de la période Biedermeier.

Garçons sur la plage
Cette œuvre de 1898 de Max Liebermann offre un bel exemple de l'attention portée par les impressionnistes allemands au rendu des jeux de lumière.

Le Déjeuner dans l'atelier
L'un des fleurons de la Neue Pinakothek, Édouard Manet, utilisa son fils comme modèle pour cette composition présentée au Salon de Paris en 1868.

Le Jeu des vagues
Considéré par les surréalistes comme un « artiste génial et ironique », le symboliste Arnold Böcklin se joue des références classiques

dans cette scène de 1883 où s'ébattent nymphes, sirènes et divinités masculines.

Collection de design

Collection d'art moderne
Le fonds de la Pinakothek der Moderne est réparti en deux grandes sections. Le département d'art moderne couvre une période allant du tournant du XXᵉ s. à 1960, avec, entre autres, des œuvres de Kirchner, Nolde, Braque, Picasso, Klee et Beckmann.

Collection d'art contemporain
Beuys, Baselitz, Warhol, de Kooning et Twombly comptent parmi les créateurs représentés.

Collection d'arts plastiques
Plus de 45 000 dessins et environ 350 000 gravures alimentent des expositions tournantes. L'ensemble est d'une grande variété : œuvres des maîtres anciens, comme Rembrandt et Titien ou travaux d'artistes

Le Déjeuner dans l'atelier de **Manet**

Dans cette liste, les cinq premiers articles concernent la Neue Pinakothek, les cinq suivants la Pinakothek der Moderne.

modernes, tels que Cézanne, Baselitz, Wols ou Franz Marc, auteur de *La Tour aux chevaux bleus* (1912).

Voyage à Jérusalem (2002) d'Olaf Metzel

9 Collection d'architecture

Des expositions tournantes présentent 500 maquettes – dont les plus anciennes datent du XVIIe s. – 100 000 photographies et 450 000 esquisses et plans de 700 architectes.

10 Collection de design

Quelque 60 000 objets utilitaires retracent l'évolution du design depuis ses premiers pas, au tournant du XXe s., jusqu'aux créations les plus contemporaines. Leur mise en espace évoque de grands mouvements, comme le fonctionnalisme et le pop art, et développe des thèmes comme l'automobile ou la culture de l'ordinateur.

Construction de la Pinakothek der Moderne

1. 1990 : lancement du projet
2. 1992 : concours gagné par Stephan Braunfels
3. 1993 : la Bavière exige 10 % du financement en donations
4. 1994 : la fondation PDM réunit 30 000 000 DM.
5. 1995 : la construction est décidée
6. 1996 : première pierre
7. 1998 : cérémonie de pose de la toiture
8. 2000 : controverse sur les surcoûts
9. Dégâts structurels
10. 2002 : ouverture

Quartier des musées et des arts

Fondée par Louis Ier, inaugurée en 1853 et détruite en 1944, la Neue Pinakothek occupe depuis 1981 un nouvel édifice dessiné par Alexander von Branca. Sa collection permanente – plus de 4 500 peintures et 300 sculptures – en fait l'un des plus riches musées d'Europe dans le domaine de l'art du XIXe s. La Pinakothek der Moderne a ouvert en 2002 dans un spacieux bâtiment conçu par Stephan Braunfels – et à l'origine critiqué pour son coût (121 millions d'euros). Plus de 20 000 m² de surface de plancher offrent un large espace à la présentation de la collection permanente de ce centre d'art du XXe et du XXIe s., ainsi qu'aux expositions temporaires. Un réseau d'escaliers relie les salles regroupées autour de la rotonde centrale. Il offre aux visiteurs une grande souplesse dans leur exploration. De nouveaux musées complètent les trois pinacothèques. L'un d'eux, consacré à la collection Brandhorst, a ouvert début 2009 (p. 37). Le futur quartier des arts a pour pôle la Königsplatz bordée par la Glyptothek (sculptures grecque et romaine), la Lenbachhaus (galerie d'Art municipale) et la Staatliche Antikensammlungen (collection nationale des Antiquités). De nombreuses galeries d'art privées sont installées alentour.

Rotonde, Pinakothek der Moderne

Site Internet de la Pinakothek der Moderne : **www.pinakothek-der-moderne.de**

⁝⁝⁝ Olympiapark

Le parc olympique créé pour les Jeux de 1972 occupe le site d'un ancien terrain d'aviation et de parades. Vallonné et agrémenté d'un lac artificiel, il offre un cadre verdoyant aux équipements sportifs, dominés par une tour de télécommunications. Les élégants bâtiments, dessinés par le cabinet Behnisch et Partners, tirent leur originalité de la couverture transparente conçue par Frei Otto. En forme de dais et portée par de hauts mâts, elle protège le stade de 67 000 places, le palais des sports et le stade nautique.

Vue aérienne du parc

🞊 **Le restaurant pivotant offre une vue superbe et une excellente cuisine.**

🞊 **Escalade encordée du toit élastique, inscription au (089) 30 670.**

- U3 : Olympiazentrum
- plan D1-E1
- (089) 30 670
- Olympiaturm : t.l.j. 9h-minuit (dernière montée 23h30) ; EP 4,50 € (TR 2,80 €)
- escalade du toit : avr.-oct. : ven.-dim. 16h, EP 45 € (10-15 ans 35 €)
- découverte aventure du parc : avr.-oct. t.l.j. 14h, EP 8 € (6-15 ans 5,50 €, moins de 6 ans EG)
- renseignements sur www.olympiapark-muenchen.de
- BMW-Museum : t.l.j. 9h-18h • Sea Life : avr.-sept. t.l.j. 10h-19h, oct. t.l.j. 10h-18h ; nov.-mars t.l.j. 10h-17h ; EP 15,50 € (enfant 9,95 €)
- centre nautique : t.l.j. 7h-23h ; mar. et jeu. 7h-17h15 et 20h30-23h ; EP 3,60 € (6 ans et plus 2,90 €) ; forfait sauna : 14 €.

À ne pas manquer

1. Olympiaturm
2. Musée BMW
3. Stade olympique
4. Palais des Sports
5. Lac et parc
6. Patinoire olympique
7. Sea Life
8. Centre nautique
9. Chapelle du père Timofej
10. Theatron et autres équipements

1 Olympiaturm
Un ascenseur à grande vitesse conduit à la plate-forme panoramique et au restaurant pivotant de cette tour de télécommunications haute de 290 m *(à droite)*. La vue est exceptionnelle : par temps très clair, quand le föhn souffle, elle porte jusqu'aux Alpes. Le restaurant propose une cuisine rapide à midi et des repas plus élaborés le soir.

2 Musée BMW
Ce building futuriste, avec son impressionnante entrée en forme de double cône, incarne le dynamisme et l'élégance de la marque. Il accueille des expositions autour de BMW.

3 Stade olympique
Ce magnifique stade de 67 000 places est longtemps resté le siège de l'équipe du FC Bayern avant son départ pour l'Allianz Arena. Il accueille divers événements.

4 Palais des Sports
Conçue dès le départ comme un lieu d'accueil modulable, cette vaste salle peut contenir 14 000 spectateurs sous son spectaculaire toit élastique suspendu à 58 pylones. Le palais des sports accueille de nombreux événements, des rencontres sportives, mais aussi des concerts, des conférences et des foires commerciales.

⮕ *Différents billets groupés donnent accès à l'Olympiaturm et à certains équipements sportifs.*

Lac et parc
Des gravats déblayés des ruines de la ville à la fin de la Seconde Guerre mondiale ont donné au parc ses reliefs paysagés. La création d'un lac artificiel et d'un réseau d'allées a fait de l'espace vert un lieu très apprécié des promeneurs.

Plan de l'Olympiapark

Theatron et autres équipements
Outre un amphithéâtre de 6 000 places *(ci-dessus)*, qui accueille, aux beaux jours, des concerts gratuits, l'Olympiapark renferme un vélodrome couvert, des courts de tennis ainsi que des terrains de beach-volley et de basket-ball. On peut y pratiquer le curling d'été et canoter sur le lac.

Patinoire olympique
La vaste patinoire attire de nombreux patineurs et danseurs sur glace. Des patins sont en location à l'entrée.

Sea Life
Les visiteurs sont face à face avec des poissons tropicaux et méditerranéens. Le tunnel en verre est une merveille.

Centre nautique
Le centre nautique *(à droite)* compte parmi les plus vastes d'Europe. Doté de plusieurs saunas et d'un tunnel de vapeur, il propose des programmes de remise en forme.

Chapelle du père Timofej
Un sanctuaire orthodoxe russe *(ci-dessus)*, construit sans permis et avec des matériaux de récupération, se dresse dans le parc depuis 1951.

5 septembre 1972

Dans la nuit, à 4 h, des terroristes palestiniens, membres du groupe Septembre noir, se glissent dans le village olympique. Ils abattent deux membres de l'équipe israélienne et prennent neuf athlètes en otages. La police intervient à l'aéroport de Fürstenfeldbruck. Sa tentative de libération échoue. Les neuf Israéliens, quatre Palestiniens et un policier trouvent la mort dans l'affrontement.

L'Olympiapark est le plus grand centre de remise en forme de la ville.
Pour plus de renseignements : **www.olympiapark.de**

🔟 Residenz

Au cœur de la ville, la Résidence où régnèrent les Wittelsbach jusqu'en 1918 a pour origine un château fort de 1385. Des remaniements et ajouts successifs l'ont transformé en un vaste complexe. L'Antiquarium – le plus vaste édifice séculier de style Renaissance – et le splendide théâtre rococo sont particulièrement admirables. Les deux ailes néoclassiques, la Königsbau et la Festsaalbau, datent du XIXe s. La Residenz abrite des collections d'orfèvrerie, de vêtements liturgiques et de porcelaines.

Fontaine et parterres de la Grottenhof

🍴 **Le café Tambosi du Hofgarten propose des repas légers dans un cadre historique. La Pfälzer Residenzweinstube (Residenzstr. 1) sert des mets plus consistants.**

🚶 **Plusieurs visites guidées parcourent la Residenz et ses alentours.**

• *Residenzstr. 1* • *U3/U6 : Odeonsplatz* • *plan L3-M3* • *(089) 29 06 71*
• *Residenz : ouv. avr.-mi-oct. : t.l.j. 10h-18h ; mi-oct.-mars : t.l.j. 10h-17h (une partie du complexe est ouverte le matin, l'autre l'après-midi) ; audioguides disponibles*
• *f. 1er janv., Mardi gras, 24, 25 et 31 déc.*
• *EP 6 € (TR 5 €), ticket combiné Residenz et Schatzkammer 9 € (TR 8 €)*
• *Cuvilliés-Theater : ouv. avr.-mi-juin et oct. : lun.-sam. 14h-18h, dim. 9h-18h ; mi-juin à sept. t.l.j. 9h-18h ; nov.-mars : lun.-sam. 14h-17h, dim. 10h-17h*
• *EP 3 € (TR 2 €)*
• *PAH.*

À ne pas manquer

1. Antiquarium
2. Cuvilliés-Theater
3. Schatzkammer
4. Hofkapelle
5. Les cours
6. Reiche Kapelle
7. Reiche Zimmer
8. Musée d'Art égyptien
9. Collection de monnaies
10. Hofgarten

1 Antiquarium
Ce joyau de la Renaissance *(au centre)*, bâti à la demande du duc Albert V, possède une voûte en berceau de 69 m, ornée de fresques allégoriques, de grotesques et de paysages bavarois. C'est la pièce la plus ancienne de la Residenz.

2 Cuvilliés-Theater
François de Cuvilliés et son fils firent édifier ce superbe théâtre rococo entre 1751 et 1755. C'est l'un des plus beaux d'Europe *(ci-dessous)*.

3 Schatzkammer
Le trésor abrite, entre autres, des porcelaines, les insignes de la royauté bavaroise et de riches pièces d'orfèvrerie *(à gauche)*.

4 Hofkapelle
Krumpper éleva entre 1601 et 1614 la chapelle de la Cour.

➡️ *La collection de monnaies et le musée d'Art égyptien ont leurs propres horaires et prix d'entrée.*

Les cours

On accède à la Kaiserhof par le portail nord, de style Renaissance, et à la Grottenhof, maniériste, par l'entré sud. La Brunnenhof occupe le centre du bâtiment. La cour du théâtre Cuvilliés est la plus petite, non loin de la plus grande, l'Apothekenhof.

Plan de la Residenz

- Residenzstraße
- Kaiserhof
- Herkulessaal
- Grottenhof
- Entrée
- Residenztheater
- Opéra
- Apothekenhof
- Brunnenhof

Reiche Kapelle

La chapelle privée de Maximilien Ier, au décor maniériste (1607), a conservé son retable en ébène et ses bas-reliefs en argent *(ci-dessous)*.

Reiche Zimmer

La Rittersaal conduit à une enfilade de pièces de style rococo. La Reiche Zimmer, dessinée en 1730 par François de Cuvilliés, et la Grüne Gallerie *(à droite)* comptent parmi les plus remarquables.

Musée d'Art égyptien

Depuis 1970, l'aile bordant le Hofgarten abrite une collection d'antiquités, notamment romaines et coptes, couvrant presque toute l'histoire égyptienne *(ci-dessus, à droite)*.

Collection de monnaies

Une exposition de poids et mesures complète la plus riche collection de pièces d'Europe.

Hofgarten

Avec ses parterres et ses haies taillées au cordeau, le jardin Renaissance planté de tilleuls, qui s'étend au nord de la Residenz, évoque l'Italie. Un réseau de sentiers le parcourt. Au centre se dresse le temple de Diane, paré de coquillages, de Heinrich Schön l'Ancien. À l'est, la Chancellerie de Bavière intègre l'ancien musée de l'Armée à un édifice moderne, dont la construction a donné lieu à une longue controverse avec le conseil municipal.

Démolition et reconstruction

Les souverains de Bavière ont mis des siècles à édifier la Residenz, mais il a suffi de quelques heures lors de la Seconde Guerre mondiale pour qu'une grande partie de l'édifice soit dévastée. La reconstruction a débuté dès la paix signée. Aujourd'hui, on peut y voir quelque 130 pièces. Déplacés pendant la guerre, les trésors qui les parent ont parfois emprunté des chemins tortueux pour retrouver leur place.

> La Herkulessaal, jadis salle du Trône, bénéficie d'une excellente acoustique et accueille des concerts.

Oktoberfest

Avec plus de 6 millions de visiteurs, 5 millions de litres de bière engloutis, 200 000 paires de saucisses avalées et 100 bœufs rôtis à la broche, l'Oktoberfest est la plus grande fête populaire du monde. Au pied d'une immense allégorie de la Bavière, un grand pré, le Theresienwiese (ou « Wiesn », pour les Munichois) se remplit pour l'occasion de tavernes sous chapiteaux, d'attractions foraines et de stands vendant toutes sortes de snacks, des poissons en brochette aux pains d'épice en forme de cœur.

Souvenirs et gages
d'amour comestibles

🅞 **Des kiosques vendent des boissons non alcoolisées.**

🅞 **Il est possible d'obtenir des réductions sur certaines attractions, à certaines dates.**

- *Theresienwiese*
- *S-Bahn : Hackerbrücke (S1-S8), U4/U5 Theresienwiese*
- *plan D5*
- *16 jours de mi-sept. à déb. oct. ; lun.-ven. 10h-23h30, sam., dim. et j.f. 9h-23h30 ; dernière commande 22h30*
- *EG*
- *grands groupes : réserver ses tables tôt avant la fête.*
- *www.oktoberfest.de*

À ne pas manquer

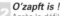

1. Défilé d'ouverture
2. *O'zapft is !*
3. Chapiteaux
4. Bœufs rôtis
5. Steckerlfische
6. Beim Schichtl
7. Cirque de puces
8. Attractions
9. Mémorial
10. La Bavaria

Défilé d'ouverture
1 Depuis 1887, la fête commence un samedi par une parade, dans la ville, de chars attelés et ornés de fleurs *(ci-dessous)*. Certains portent d'énormes tonneaux, d'autres sont aux couleurs d'une brasserie. Des employés en tenues folkloriques et des fanfares les escortent. Le public se joint au cortège.

O'zapft is !
2 Après le défilé, à midi, dans la Schottenhamel, la plus ancienne tente de la fête, le maire donne le signal officiel du début des festivités en lançant : « O'zapft is ! » et en perçant le premier fût de bière.

Chapiteaux
3 Servie en *Maß*, une chope de 1 l, la bière règne en maîtresse dans les immenses tavernes en toile, et les clients tanguent au rythme des airs traditionnels joués par l'orchestre *(ci-dessus)*. L'ambiance est moins bruyante dans des chapiteaux de taille plus modeste, comme celui de Fischer Vroni.

On peut aussi boire du vin dans les tentes d'établissements, comme la Weinzelt ou la Wiesn-Schänke de Käfer.

Bœufs rôtis
Au cours des seize jours, quelque 100 bœufs rôtissent entiers à la broche sous les yeux du public pour fournir une des solides spécialités bavaroises servies à l'occasion de la fête. Le jarret de porc accompagné de couenne grillée en est une autre.

Cirque de puces
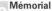
Les minuscules et indociles insectes, ainsi que leur seigneur et maître, font le bonheur des spectateurs (une vingtaine par représentation) depuis plus de un demi-siècle.

Mémorial
Le 26 septembre 1980, vers 22 h 30, une bombe posée par un néonazi près d'une des sorties tua treize personnes et en blessa plus de 200 autres. Une stèle *(à gauche)* rappelle l'événement.

La Bavaria
La statue qui domine le Theresienwiese mesure 18 m. Elle a été dessinée par Ludwig Schwanthaler et fondue par Ferdinand von Miller. Un escalier intérieur mène à sa tête, d'où s'ouvre une vue imprenable sur le champ de foire. Derrière, le Ruhmeshalle, bâti par Leo von Klenze pour Louis Ier *(ci-dessous)*, abrite les bustes de Bavarois célèbres.

Steckerlfische
De toutes les odeurs qui flottent sur la fête, l'une des plus enivrantes émane des barbecues où grillent des poissons en brochette, ou *Steckerlfische (à droite).*

Beim Schichtl
Pilier de l'Oktoberfest depuis 1871, ce cabaret *(ci-dessous)* entretient la tradition du grand guignol et va jusqu'à mettre en scène la « décapitation » d'un spectateur.

Attractions
Des traditionnels manèges de chevaux de bois et stands de tir à la carabine au Frier Fall (« chute libre »), en passant par les montagnes russes, les attractions foraines s'adressent à un très large public. Le spectacle offert par le champ de foire depuis les nacelles de la grande roue est particulièrement spectaculaire la nuit.

Histoire de l'Oktoberfest

Le prince héritier Louis de Bavière épouse Thérèse de Saxe-Hildburghausen le 12 octobre 1810. Le mariage donne lieu à cinq jours de célébration, dans un pré rebaptisé Theresienwiese en l'honneur de la jeune mariée. Les festivités s'achèvent par une course de chevaux – qu'il est décidé de répéter tous les ans. En 1818, un premier manège est installé. En 1896 apparaissent les « palais de la bière », montés sous l'égide de brasseries.

Le site www.muenchen.de fournit de nombreuses informations en français, sur l'Oktoberfest.

⁝⁰⁰⁝10 Biergarten

C'est dans un Biergarten (jardin à bière) que les Bavarois aiment le plus se désaltérer en été, une saison qui commence officiellement en mars, quand les brasseries mettent en vente leurs Böcke, des bières fortes aux noms évocateurs : Salvator, Maximator, Triumphator… Si vous séjournez à Munich aux beaux jours, passez un moment sur un banc en bois, à l'ombre de châtaigniers, à siroter un Maß d'Augustiner, de Löwenbräu ou de Paulaner, accompagné de saucisses ou de poisson grillés.

Les serveuses bavaroises portent de lourds plateaux

🍺 Tous les jardins à bière servent aussi des boissons non alcoolisées.

🌿 Les *Biergarten* possèdent une zone de service complet, et une zone self-service, où il est possible d'apporter son pique-nique.

• En général, t.l.j. de mi-mai à fin sept. 10h-23h. Dernière commande 22h30.

• Il est recommandé d'utiliser les transports publics pour se rendre dans un Biergarten.

À ne pas manquer

1. Augustiner-Keller
2. Löwenbräukeller
3. Flaucher
4. Hirschgarten
5. Chinesischer Turm
6. Seehaus
7. Sankt-Emmerams-Mühle
8. Paulaner
9. Biergarten Muffathalle
10. Hofbräukeller

Augustiner-Keller

Ce vaste établissement ombragé par des châtaigniers existe depuis le XIXe s. Il est situé près d'un ancien lieu d'exécution. Deux cents tables décorées *(ci-dessus)* sont destinées à des habitués. Ne manquez pas la cuvée d'Augustiner, tirée directement de fûts en bois. 🔖 *Arnulfstr. 52 • 5 000 places (2 500 en service complet) • aire de jeux.*

Löwenbräukeller

Le bâtiment historique, près de la brasserie Löwenbräu, sert de cadre à des bals et à la cérémonie de mise en perce du premier tonneau de Triumphator. 🔖 *Stiglmaierplatz • 1 000 places.*

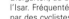

Flaucher

Il règne une atmosphère de jardin public dans ce charmant *Biergarten*, au bord de l'Isar. Fréquenté à midi par des cyclistes, des joueurs de volley-ball et des familles, il baigne le soir dans la lueur chaude des bougies. 🔖 *Isarauen 8 • 2 000 places • grande aire de jeux.*

Hirschgarten

Le plus grand jardin à bière de Munich s'étend près du Schloss Nymphenburg. Il doit son nom, ainsi que le décor du tonneau d'où coule l'Augustiner, aux cerfs gardés dans un enclos. 🔖 *Hirschgarten 1 • 8 000 places • aire de jeux.*

Il existe plus de 100 Biergarten à Munich et dans ses environs. Leur capacité totale dépasse 100 000 places.

Chinesischer Turm

Un orchestre de cuivres s'installe le week-end au 2e étage de la tour chinoise de l'Englischer Garten *(à droite)*, un lieu apprécié des étudiants. Englischer Garten • 7000 places • aire de jeux et manège de chevaux de bois à proximité.

Biergarten Muffathalle

Le plus récent des *Biergarten* munichois, où des parasols – et non les traditionnels châtaigniers – ombragent les tables, jouit d'une situation privilégiée au bord de l'Isar. La carte est variée et pleine de surprises. Zellstr. 4 • 300 places.

Hofbräukeller

Sur l'autre rive de l'Isar, à Haidhausen, le site de l'ancienne brasserie Hofbräu et de sa cave à bière est ouvert au public depuis 1892 *(ci-dessous)*. La couverture de feuillage est si dense qu'elle protège aussi de la pluie. Innere Wiener Str. 19 • 1700 places (400 en service complet) • aire de jeux.

Seehaus

Au centre de l'Englischer Garten, sur la rive d'un petit lac, la Seehaus joue en terrasse la carte de l'élégance. Son jardin à bière, à l'ambiance intime, est charmant *(ci-dessus)*. Englischer Garten • 2600 places (400 en terrasse) • aire de jeu, location de barques sur le lac.

Sankt-Emmerams-Mühle

Cet établissement champêtre est en vogue. St. Emmeram 41 • 700 places et 450 en self-service • aire de jeux.

Paulaner

Relativement petite, cette brasserie *(à gauche)*, située sur le Nockherberg est très réputée pour sa bière. En mars, elle organise la cérémonie de mise en perce de la Salvator, qui réunit des hommes politiques. Ceux-ci boivent des bocks et doivent endurer les critiques de « frère Barnabé » *(p. 50)*. Hochstr. 77 • 2500 places • pavillon historique dans le jardin • aire de jeux.

La bière bavaroise et l'édit de Pureté

De très anciennes brasseries restent en activité à Munich. Les habitants de la ville choisissent souvent les tavernes et les *Biergarten* pour leurs bières plutôt que pour leur situation ou le choix de plats proposés. Toutes se doivent de respecter l'édit de Pureté, promulgué en 1516 par le duc Guillaume IV – elles doivent être fabriquées uniquement à partir de malt, de houblon, de levure et d'eau, et ne contenir aucun additif.

Ne manquez pas d'accompagner votre grand bretzel de Radi (radis), d'Obazda (camembert assaisonné) ou d'un Steckerlfisch.

🔟 Autour de la Marienplatz

Après avoir reçu ses privilèges municipaux de Henri le Lion en 1158, Munich s'est développée autour de la place Sainte-Marie, aujourd'hui dominée par le Neues Rathaus. La place, bordée de nombreux cafés et restaurants, attire des artistes de rue. C'est aussi là que se croisent les grandes lignes des transports publics. Une zone piétonnière commence à son extrémité ouest. Les élégantes Weinstraße puis Theatinerstraße mènent au nord à la Feldherrnhalle et à la Theatinerkirche. Au sud de la Peterskirche s'étend le Viktualienmarkt.

Façade néogothique du Neues Rathaus

🍴 **Cafés et restaurants abondent sur la place et aux alentours.**

🎯 **Les tours du Neues Rathaus et de la Peterskirche, ainsi que la tour sud de la Frauenkirche, offrent de belles vues.**

• U3/U6 : Marienplatz, S-Bahn 1-8
• plan L4
• **Neues Rathaus** Marienplatz 8 ; tour : ouv. lun.-ven. 8h-19h, sam., dim. et j.f. 10h-19h ; nov.-avr. lun.-ven. 10h-17h
www.muenchen.de
• **Frauenkirche** Frauenplatz 1 ; tour sud (entrée ouest, quelques marches jusqu'à l'ascenseur) : ouv. avr.-oct. lun.-sam. 10h-17h ; EP • **Peterskirche** Rindermarkt 1 ; tour : ouv. lun.-sam. 9h-18h, dim. et j.f. 10h-18h (en été jusqu'à 19h par beau temps) ; EP
• Les églises ne se visitent pas pendant les offices.

À ne pas manquer

1. Marienplatz
2. Neues Rathaus
3. Altes Rathaus
4. Zone piétonnière
5. Peterskirche
6. Frauenkirche
7. Asamkirche
8. Viktualienmarkt
9. Feldherrnhalle
10. Theatinerkirche

Marienplatz
Elle abrite une statue de la Vierge (1638) et la Fischbrunnen (fontaine aux Poissons) du XIXe s. *(au centre).* Le mercredi des Cendres, le maire et les conseillers municipaux y lavent leurs portefeuilles… afin que les coffres de la ville restent pleins.

Neues Rathaus
Symbole de la cité, le Münchner Kindl (« moinillon de Munich ») domine le nouvel hôtel de ville néogothique, édifié entre 1867 et 1908. La tour de l'horloge renferme un carillon dont les figurines s'animent à 11 h, 12 h et, de mars à octobre, à 17 h.

Altes Rathaus
Occupé par un musée du Jouet, l'ancien hôtel de ville a connu de nombreux remaniements depuis sa construction, entre 1470 et 1475. De l'édifice originel subsiste une salle en rez-de-chaussée.

Zone piétonnière
Elle s'étend à l'ouest, de la Marienplatz jusqu'à la Karlsplatz et est très appréciée des Munichois. Ne manquez pas la Michaelskirche, une église de style Renaissance tardive.

Peterskirche
Au point culminant de la vieille ville, cette église paroissiale du XIIIe s. *(à gauche)* ménage une belle vue depuis son clocher, surnommé *Alter Peter* (« Vieux Pierre »).

Frauenkirche

6 Couronnée de dômes en bulbe, la cathédrale Notre-Dame, élevée de 1468 à 1488, est la plus grande basilique gothique d'Allemagne du Sud. Elle conserve le tombeau de Louis IV de Bavière, sculpté au début du XVIIe s. *(p. 40)*.

Plan de la Marienplatz

Theatinerkirche

10 La construction de l'église des Théatins, baroque, *(ci-dessus)* fut entreprise en 1663, pour fêter la naissance de Maximilien, l'héritier de l'électeur Ferdinand. En 1768, Cuvilliés donna à l'édifice sa façade rococo.

Asamkirche

7 Les frères Asam – le sculpteur et stucateur Egid Quirin et le peintre Cosmas Damian – aménagèrent ce petit sanctuaire privé entre 1733 et 1746. Ce joyau rococo possède une décoration intérieure aussi exubérante que raffinée *(ci-dessous)*.

Viktualienmarkt

8 Le « marché aux victuailles » existe depuis 1807, et ses quelque 140 stands proposent d'excellents produits *(ci-dessus)*.

Feldherrnhalle

9 F. von Gärtner s'inspira de la Loggia dei Lanzi, un bâtiment Renaissance de Florence, pour la construction de la « salle des Généraux en chef », dédiée aux héros militaires bavarois.

Münchner Kindl

Au sommet de la tour (80 m) de l'hôtel de ville, le « moinillon de Munich » serre l'évangile dans sa main gauche et lève la main droite en signe de bénédiction. Il rappelle les origines de la cité – des moines *(Mönche)* avaient fondé une abbaye sur ce site, au bord de l'Isar. Vêtu de jaune et de noir, les couleurs de la ville, il accompagne à cheval toutes les processions. Sa véritable identité sexuelle reste un mystère, mais ce sont toujours des femmes qui l'incarnent.

La Schrannenhalle, jadis située à l'extrémité sud du Viktualienmarkt, a été reconstruite.

Neuschwanstein et Louis II

Le plus ambitieux des projets de Louis II, qui commanda à la même époque la « maisonnette » néorococo de Linderhof et le Schloss Herrenchiemsee inspiré de Versailles, est une version idéalisée d'une forteresse de chevaliers. L'aménagement intérieur rend hommage à Wagner, dont le souverain fut l'admirateur et le mécène. Archétype du château de conte de fées, Neuschwanstein attire plus d'un million de visiteurs chaque année. Il offre un cadre plaisant à une excursion d'une journée.

Hohenschwangau, en dessous de Neuschwanstein

🍴 Le château abrite une cafétéria. Plusieurs restaurants sont installés non loin.

🎫 Visite guidée uniquement. Le billet indique le numéro de la visite et l'heure d'entrée.

• Schwangau bei Füssen
• plan Q4
• Office de tourisme de Schwangau :
(0 83 62) 81 980
• Château de Neuschwanstein :
(0 83 62) 93 98 80 ;
www.neuschwanstein.
de • billets au
Ticketcenter
Hohenschwangau :
(0 83 62) 93 08 30
• ouv. : avr.-sept. t.l.j.
9h-18h (billetterie 8h-17h) ; oct.-mars t.l.j.
10h-16h (billetterie
9h-15h)
• f. 1er janv. ; Mardi
gras ; 24, 25 et 31 déc.
• EP 9 € (TR 8 €) ; billet
combiné avec Hohen-schwangau 17 €
(TR 15 €) • visite pour
handicapés en fauteuil
roulant le mer. sur rés.
par téléphone.

À ne pas manquer

1. Le château
2. Salle du Trône
3. Chambre
4. Chapelle
5. Bureau
6. Hall des Chanteurs
7. Grotte artificielle
8. Salle à manger
9. Jardin d'hiver
10. Hohenschwangau

Le château
Les travaux commencèrent en 1869. Le roi remania les plans jusqu'à sa mort, en 1886. Le portail d'entrée fut terminé en 1873, et le corps de bâtiment en 1884 *(au centre)*. Le donjon resta à l'état de projet.

Salle du Trône
Le style de cette vaste salle s'inspire de l'église de Tous-les-Saints de Munich et de la basilique Sainte-Sophie d'Istanbul. Le trône devait occuper la place normalement réservée à l'autel, dans l'abside *(ci-dessous)*.

Chambre
Quatorze sculpteurs travaillèrent pendant quatre ans aux boiseries gothiques. Celles du lit de Louis II évoquent une église. Les peintures murales illustrent des scènes de la légende de *Tristan et Iseult*.

Chapelle
Les peintures et les vitraux représentent des épisodes de la vie de saint Louis, que Louis II prenait en modèle.

Bureau
L'opéra de Wagner *Tannhäuser* est le thème de la décoration peinte de cette pièce. Lohengrin, le chevalier au cygne, donne sa forme au plumier.

 Le château est accessible à pied, en autobus ou en calèche.

Grotte artificielle

Entre le salon et le bureau, les visiteurs empruntent un passage très romantique où coulait, à l'origine, une petite cascade *(à gauche)*. Au château de Linderhof, Louis II aimait méditer sur le lac artificiel créé dans la grotte de Vénus *(p. 30)*.

Jardin d'hiver

Attenant à la grotte, on peut y admirer la vue de l'Allgäu *(ci-dessus)*, à travers une grande baie vitrée.

Hohenschwangau

Louis II passa une grand partie de son enfance et de sa jeunesse dans ce château, remanié en 1832 dans le style néogothique à la demande de son père, Maximilien II. Les armoiries de Hohenschwangau comportent un cygne – souvent décrit comme le cygne de Lohengrin –, motif récurrent dans l'ornementation de Neuschwanstein.

Hall des Chanteurs

Des scènes tirées de la légende de Perceval et sa quête du Graal ornent les murs du Sängersaal *(ci-dessous)*, copie du Festsaal de la Wartburg d'Eisenach, évoquée dans le *Tannhäuser* de Wagner.

Salle à manger

En général, le roi prenait ses repas seul dans cette pièce reliée par un monte-plats manuel à la cuisine, située trois étages plus bas. Les peintures murales s'inspirent des chansons des ménestrels.

Technologie moderne et amour du passé

Malgré sa fascination pour le Moyen Âge, Louis II bénéficiait dans son château de tout le confort de son époque : la cuisine était alimentée en eau chaude ; un chauffage central à air pulsé maintenait la température dans les pièces ; les cabinets d'aisance avaient une chasse d'eau ; un interphone électrique servait à appeler les domestiques, et le téléphone permettait de relier les deuxième et troisième étages.

Près de la gorge de Pöllat, Neuschwanstein se dresse sur le site de deux petits châteaux en ruine.

Gauche **Grotte de Linderhof** Centre **Parc de Linderhof** Droite **Pavillon de chasse du Schachen**

⚐10 Linderhof et Herrenchiemsee

1 Château de Linderhof
Dans une vallée alpine où Maximilien II avait une réserve de chasse, Louis II fit aménager, entre 1868 et 1879, une charmante demeure néorococo au décor très travaillé.

2 Parc
Ce parc en terrasses, dessiné par Carl von Effner, s'inspire des jardins Renaissance des villas italiennes. Des parterres géométriques à la française encadrent le bassin central. Les éléments paysagés cèdent progressivement la place à la forêt de sapins et de hêtres.

3 Cascade et fontaine de Neptune
Depuis le pavillon de musique, au nord du château, une cascade dévale 30 gradins bordés de deux haies de tilleuls taillés en

Schloss Herrenchiemsee

voûte. Des statues symbolisent les quatre continents connus à l'époque. L'eau alimente la fontaine de Neptune, qui domine un parterre en fleurs de lys.

4 Grotte de Vénus
Inspirée du Hörselberg de l'opéra de Wagner *Tannhäuser*, la plus grande grotte artificielle d'Europe abrite un lac, que le roi parcourait en barque dorée.

5 Kiosque mauresque
En 1876, Louis II acquit le pavillon bâti par la Prusse pour l'Exposition universelle de 1867 qui eut lieu à Paris.

6 Chapelle
C'est la plus vieille construction du domaine (1668).

7 Schloss Herrenchiemsee
Sur une île du plus vaste lac de Bavière, Louis II entreprit, en 1878, l'édification d'un « château neuf », qu'il voulait à l'image de Versailles. Vingt pièces étaient achevées quand il dut arrêter les travaux par manque de fonds.

8 Musée du roi Louis II
Dans l'aile sud du château, documents et souvenirs retracent, dans douze pièces, la vie du souverain que les Bavarois ont surnommé « Kini ».

9 Galerie des Glaces
Longue de 90 m, elle dépasse, en taille, celle de Versailles. Les fresques du

*Site Internet du Schloss Linderhof : **www.linderhof.de***

plafond témoignent de l'admiration de Louis II pour son glorieux homologue : le Roi-Soleil.

Jardins

Les jardins à la française, dont les jeux d'eau enchantent les visiteurs de mai à octobre, offrent une belle vue du château et du lac Chiemsee. Depuis le débarcadère, des calèches permettent de rejoindre le Schloss Herrenchiemsee.

Galerie des Glaces du Schloss Herrenchiemsee

La vie de Louis II

1. 25/8/1845 : naissance
2. 1864 : couronnement
3. 1864 : premières rencontres avec Wagner
4. 1866 : vaincu par les Prussiens
5. 1867 : fiançailles et rupture avec Sophie
6. 1869 : début de la construction de Neuschwanstein
7. 1870-1871 : guerre franco-prussienne
8. 1873 : achète la Herreninsel
9. 9/6/1886 : déclaré inapte à gouverner
10. 13/6/1886 : noyade dans le Starnberger See

Louis II et ses châteaux

Louis II (1865), F. von Piloty

La passion de « Kini » pour l'architecture se manifeste dès 1867. Louis II concentre d'abord ses efforts sur Munich, où il fait remanier ses appartements, mais il choisit ensuite la région de Hohenschwangau. Dès 1869, il entreprend la construction de Linderhof – le seul de ses châteaux achevé de son vivant –, puis de Neuschwanstein. L'édification du Schloss Herrenchiemsee – où il passera seulement neuf jours – débute en 1878. Louis II a aussi des projets pour sa capitale, dont une salle destinée à accueillir les opéras de Wagner (une version, plus petite, existe à Bayreuth depuis 1876). Endetté de 14 millions de marks, il est destitué le 9 juin 1886 et meurt quelques jours plus tard dans des circonstances mystérieuses.

Fontaine du grand bassin du parc de Linderhof

⭐10 Starnberger See

Le plus populaire des lacs de la région de Munich se trouve pratiquement à la sortie de la ville. Long de 21 km, large de 5 km et d'une profondeur maximale de 125 m, il permet de nombreuses activités, dont la baignade, la voile et la planche à voile. Des représentants de la noblesse bâtirent jadis leurs résidences d'été sur ses rives. L'impératrice Élisabeth (Sissi) venait se détendre à Possenhofen, tandis que son cousin Louis II se rendait à Berg. Une promenade en bateau à vapeur est le meilleur moyen de découvrir le rivage.

Bateau de la Bayerische Seenschifffahrt

🍴 **Zum Häring (Midgardhaus),** à Tutzing, donne directement sur le lac et sert de délicieux strudels (Midgardstr. 3-5, 081 58 12 16).

🎫 **La « Weißblaue Flotte » propose plusieurs promenades à thème sur le lac.**

- S6 : Starnberg, Possenhofen, Feldafing, Tutzing
- plan S3
- www.starnberg.de
- *Buchheim Museum :* Bernried, Am Hirschgarten 1, (081 58) 99 700, www.buchheimmuseum.de
- ouv. avr.-oct. : mar.-dim. 10h-18h ; nov.-mars : mar.-dim. 10h-17h
- EP 8,50 € (TR 3,50 €) ; moins de 5 ans EG
- *Bayerische Seenschifffahrt :* embarcadères à Starnberg, Bernried (Museumslinie), Berg, Tutzing ; croisières historiques, d'aventure et gastronomiques
- (08 151) 80 61
- www.bayerische-seenschifffahrt.de

À ne pas manquer

1. Starnberg
2. Possenhofen
3. « Weißblaue Dampferflotte »
4. Roseninsel
5. Schloss Tutzing
6. Buchheim Museum
7. Seeshaupt
8. Schloss Ammerland
9. Schloss Berg
10. Croix à la mémoire de Louis II

1 Starnberg

Cet ancien village de pêcheurs a pris son essor à la fin du XIXe s. en tant que station de villégiature *(au centre)*. Les résidences bâties par les notables munichois rendent parfois difficile l'accès au lac. La promenade se prête à une agréable flânerie. Les joueurs de golf disposent d'un parcours à proximité.

2 Possenhofen

Le bourg possède une belle plage et de nombreuses villas anciennes. Élevé en 1536 et reconstruit au XVIIe s., le château, aux tours crénelées, servait de refuge à l'impératrice Élisabeth, Sissi.

3 « Weißblaue Dampferflotte »

La Bayerische Seenschifffahrt propose des croisières à thème. Ses navires assurent également des liaisons entre les villes côtières.

4 Roseninsel

La petite « île aux Roses », au large de Feldafing, était déjà peuplée à l'époque préhistorique. En 1853, Peter J. Lenné et Franz J. Kreuter bâtirent son casino. Le parc renferme une roseraie, aux parterres géométriques *(ci-dessous).*

➜ *Le tour du lac, long de 55 km, peut être effectué à pied, en voiture ou à bicyclette.*

Schloss Tutzing
Au sein d'un parc paysagé, ce palais, en forme de fer à cheval, abrite l'Académie protestante *(à droite)*. Depuis la gare de Tutzing, un court trajet à pied mène à l'Ilkahöhe *(p. 70)* et au restaurant du même nom. Par temps clair, la vue des Alpes est superbe.

Starnberger See

Schloss Berg
La ville où naquit l'auteur Oskar Maria Graf conserve une ancienne résidence d'été de la dynastie des Wittelsbach. Louis II y fut brièvement interné après sa déposition, en 1886.

Croix à la mémoire de Louis II
Sur la rive, une croix marque l'endroit où le corps du souverain fut retrouvé. Des admirateurs de « Kini » s'y réunissent à la date anniversaire de sa mort.

Buchheim Museum
Installé dans un parc au nord de Bernried, le musée Buchheim présente une riche collection de peintures expressionnistes et d'objets d'art populaire, des masques africains et 3 000 presse-papiers en verre, entre autres.

Seeshaupt
À la pointe sud du Starnberger See, et en bordure de la réserve naturelle des Osterseen (19 petits lacs). Doté d'une charmante promenade au bord de l'eau, Seeshaupt a réussi à garder son caractère rural malgré les yachts à quai dans son port.

Schloss Ammerland
Cette demeure bâtie entre 1683 et 1685 est magnifiquement située sur la rive orientale du lac *(ci-dessous)*. Louis Ier la légua au musicien, écrivain et illustrateur Franz von Pocci.

La mort mystérieuse de Louis II

Accompagné de son médecin personnel, Bernhard von Gudden, un psychiatre réputé, Louis II partit en promenade le 13 juin 1886. Leurs corps furent retrouvés flottant sur le lac. Suicide, meurtre, hydrocution ? Leur décès reste inexpliqué. Comme il le souhaitait, Louis II est donc « resté un éternel mystère pour [lui-même] » et pour les autres ».

Par beau temps, une montgolfière décolle de Starnberg-Landstetten. Renseignements : (0 81 57) 91 04.

Gauche **Othon Ier** Centre **Louis de Bavière** Droite **Hitler signant les accords de Munich**

🔟 Un peu d'histoire

1158 : fondation de la ville
Entre 1157 et 1158, le Welf Henri le Lion fit démolir le vieux pont du Sel, sur l'Isar, pour établir un autre point de franchissement de la rivière un peu plus loin, au sud. Là, le village de Mönche se développa et devint une villégiature royale. L'empereur Frédéric Barberousse lui accorda le droit de tenir marché et de battre monnaie le 14 juin 1158, considéré comme le jour de naissance de la cité.

1240-1918 : dynastie des Wittelsbach
À partir de 1240, la famille des Wittelsbach, qui avait reçu la Bavière en 1180, joua un rôle majeur dans l'évolution de Munich. À l'origine simples ducs, ses membres accédèrent à la dignité électorale en 1648, puis royale en 1805. La cité doit à Louis Ier et à son fils Maximilien II ses édifices classiques. Le dernier membre de la dynastie, Louis III, dut s'exiler après la défaite de 1918.

1328 : Louis de Bavière devient empereur germanique
Élu roi des Romains en 1314, le duc Louis IV de Haute-Bavière prit la tête du Saint Empire romain germanique en 1328.

1442 : expulsion des Juifs
Après des pogroms survenus aux XIIIe et XIVe s., le duc Albert III ordonna, en 1442, le départ de tous les Juifs de Haute-Bavière. Munich resta sans communauté juive jusqu'au XVIIIe s.

1806 : capitale du royaume de Bavière
En redessinant l'Europe, Napoléon Ier agrandit considérablement l'électorat de Bavière et le transforma en royaume. Il donna au *Land* des frontières, qui ont peu varié depuis.

1848 : révolution de Mars - abdication de Louis Ier
Le soulèvement populaire qui imposa des réformes libérales dans de nombreux États allemands culmina, en 1848, à Munich, avec l'occupation de l'arsenal, le Zeughaus (qui abrite aujourd'hui le Stadtmuseum). Ayant perdu la confiance de la Cour (entre

Arbre généalogique des Wittelsbach

Les joyaux de la couronne du Saint Empire romain germanique restèrent à Munich de 1328 à 1350.

autres, à cause de sa liaison avec la danseuse Lola Montès), Louis I er dut abdiquer en faveur de son fils Maximilien II.

1918-1919 : révolution de Novembre et Räterepublik

Dans la nuit du 7 au 8 novembre 1918, le socialiste Kurt Eisner proclama la fondation de l'« État libre de Bavière » depuis la Mathäserbräu (une colonne commémore l'événement dans le cinéma qui a remplacé la brasserie). L'instauration d'une *Räterepublik* (république des Conseils) suivit, et K. Eisner en prit la tête. Ce dernier fut assassiné par un monarchiste extrémiste le 21 février 1919. En mai, l'armée reprit le contrôle de la ville et finit d'écraser la révolte.

1935-1945 : « Capitale du mouvement »

Le parti de Hitler, le NSDAP, s'est développé à partir d'une cellule née à Munich, ville où le futur dictateur tenta, son premier coup d'État, le *Hitlerputsch* en 1923. Hitler attribua à Munich le titre peu enviable de « Capitale du mouvement » après avoir pris le pouvoir, à Berlin, en 1933.

1962 : émeutes de Schwabing

Au cours de l'été 1962, d'innoffensifs artistes de rues servirent de catalyseurs à plusieurs jours d'affrontement entre de jeunes Munichois et la police. Ils amenèrent les autorités à remettre en question leur vision rigide du maintien de l'ordre.

1972 : Jeux olympiques

Les JO organisés en 1972 à Munich et dans ses environs prirent un tour tragique quand une prise d'otages coûta la vie à onze athlètes israéliens *(p. 19)*.

Personnalités

1 Frères Asam
Cosmas Damian (1686-1739) et Egid Quirin Asam (1692-1750) furent les maîtres du rococo bavarois.

2 Maximilien de Montgelas (1759-1838)
Cet homme d'État donna ses fondements institutionnels à la Bavière moderne.

3 Louis I er (1786-1868)
Ce souverain dota Munich d'édifices prestigieux et y fit transférer l'université en 1823.

4 Lola Montès (1818-1861)
Selon la rumeur, la maîtresse de Louis I er exerçait une grande influence sur lui.

5 Louis II (1845-1886)
« Kini » est entré dans l'histoire comme « roi des châteaux de conte de fées ».

6 Franz von Lenbach (1836-1904)
Le « prince peintre » eut une influence majeure sur la scène artistique munichoise.

7 Franz von Stuck (1863-1928)
La maison de ce cofondateur de la Sécession munichoise est devenue un musée *(p. 97)*.

8 Thomas Mann (1875-1955)
Le lauréat du prix Nobel de littérature quitta à jamais Munich en 1933.

9 Karl Valentin (1882-1948)
Cet acteur satirique connut un grand succès avec sa partenaire Liesl Karlstadt.

10 Hans (1918-1943) et Sophie (1921-1943) Scholl
Membres de La Rose blanche, un groupe de résistance à Hitler, ils furent tous deux dénoncés et exécutés.

Gauche et centre **Lenbachhaus, intérieur et jardin** Droite **Pièce de ferme, Nationalmuseum**

Musées

1 Quartier des musées – pinacothèques
L'Alte Pinakothek, la Neue Pinakothek et la Pinakothek der Moderne abritent de remarquables collections de peintures *(p.14-17)*.

2 Deutsches Museum
Munich possède le plus grand musée du monde dédié aux sciences et aux technologies *(p. 8-11)*.

3 Bayerisches Nationalmuseum
Des sculptures gothiques aux crèches, les pièces exposées dans l'un des plus riches musées d'Art et de Traditions populaires d'Europe sont très variées.
Prinzregentenstr. 3 • plan N3 • ouv. mar.-dim. 10h-17h (mar. jusqu'à 20h) • EP (dim. 1 €) • AH • www.bayerisches-nationalmuseum.de

4 Münchner Stadtmuseum
Ce musée municipal est divisé en sections consacrées, entre autres, à l'histoire de la ville, aux poupées, à la photographie et au cinéma *(p. 54)*. *St.-Jakobs-Platz 1 • plan L5 • ouv. mar.-dim. 10h-18h • f. Mardi gras et certains j.f. • EP (EG dim. et j.f.) • AH.*

5 Glyptothek et Staatliche Antikensammlungen
La Glyptothèque expose des sculptures et des bas-reliefs grecs et romains, notamment des œuvres archaïques dont les couleurs ont été restaurées. La collection des Antiquités compte de splendides céramiques, bronzes et bijoux. *Königsplatz 1 et 3*

Danseur Morris, Stadtmuseum

• plan K2 et J3 • Glyptothek : ouv. mar.-dim. 10h-17h (jeu. 20h) • f. Mardi gras et certains j.f. • EP (1 € le dim) • AH • Antikensammlung : ouv. mar.-dim. 10h-17h (mer. 20h) • EP (dim. 1 €).

6 Städtische Galerie im Lenbachhaus
La galerie d'Art municipale installée dans la maison du peintre Franz von Lenbach est réputée pour ses peintures du mouvement du Cavalier bleu, dont les membres jetèrent les bases de l'art abstrait. Les pièces d'habitation offrent un aperçu du mode de vie bavarois. En 1994, un espace d'exposition (Kunstbau) a été ajouté. *Luisenstr. 33 • plan J2 • f. pour rénovation, le Kunstbau reste ouvert • EP • www.lenbachhaus.de*

Façade néoclassique de la Glyptothek, sur la Königsplatz

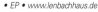

L'autobus nº100 s'arrête à la Villa Stuck, au Nationalmuseum, à la Schack-Galerie et à la Haus der Kunst.

Tournesols (1887), de Vincent Van Gogh, Neue Pinakothek

Jüdisches Museum
Visant à créer un lieu de discussion, ce musée propose un vaste panorama de l'histoire, de l'art et de la culture juifs.
🕽 St.-Jakobs-Platz 16 • plan L5
• ouv. mar.-sam. 10h-18h • EP.

Museum Villa Stuck
La villa Art nouveau de l'artiste de la Sécession Franz von Stuck (1863-1928) abrite quelques-uns de ses tableaux.
🕽 Prinzregentenstr. 60 • plan P4
• ouv. mar.-dim. 11h-18h • EP
• www.villastuck.de

Haus der Kunst
La maison de l'Art (1932-1937), commandée par Adolf Hitler, accueille des expositions temporaires. 🕽 Prinzregentenstr. 1
• plan M3-N3 • ouv. t.l.j. 10h-20h (jeu. jusqu'à 22h) • EP
• www.hausderkunst.de

Staatliches Museum für Völkerkunde
Ce musée d'Ethnographie présente une collection riche et éclectique. 🕽 Maximilianstr. 42
• plan M4 • ouv. mar.-dim. 9h30-17h30
• f. certains j.f. • EP (dim. 1 €) • www. voelkerkundemuseum-muenchen.de

Autres musées

Archäologische Staatssammlung
Collections préhistoriques, romaines et médiévales.
🕽 Lerchenfeldstr. 2 • plan N3.

Staatliches Museum Ägyptischer Kunst
La Résidence abrite le musée national d'Art égyptien (p. 21).
🕽 Residenz, Hofgartenstr. 1 • plan L3.

Deutsches Theatermuseum
Une exposition sur l'histoire du théâtre allemand et une grande bibliothèque spécialisée.
🕽 Galeriestr. 4a et 6 • plan M3.

Paläontologisches Museum
Un fossile d'Archaeopteryx bavarica est le fleuron du Musée paléontologique.
🕽 Richard-Wagner-Str. 10 • plan J2.

Valentin-Musäum
Des curiosités liées à Karl Valentin. Excellent café.
🕽 Isartor, Im Tal 50 • plan M5.

Schack-Galerie
Les romantiques seront séduits par les œuvres des peintres allemands du XIXe s.
🕽 Sterneckerstr. 2 (près d'Isator) • plan M5.

Alpines Museum
Tout sur les Alpes.
🕽 Praterinsel 5 • plan N5.

Museum Brandhorst
Quekque 700 œuvres d'art contemporain : Andy Warhol, Damien Hirst …
🕽 Theresienstr. 35 • plan L2.

Kunsthalle der Hypo-Kulturstiftung
De remarquables expositions d'art contemporain.
🕽 Theatinerstr. 8 • plan L4.

Lothringer 13
C'est le haut lieu munichois de l'art multimédia.
🕽 Lothringer Str. 13 • plan G6.

Beaucoup de musées possèdent une boutique et un café. À la Glyptothek, vous vous détendrez en compagnie d'un sphinx.

Gauche **Eisbach, Englischer Garten** Centre **Pavillon thaïlandais, Westpark** Droite **Botanischer Garten**

🔟 Parcs et jardins

1 Schloss Nymphenburg

Clos par un mur, le parc du château mesure 2 km de long sur 1,5 km de large. De pittoresques pavillons se nichent dans ses bosquets. Déclaré réserve naturelle, le parc protège 300 arbres anciens *(p. 12-13)*.

2 Englischer Garten

Ses 373 ha font du Jardin anglais le plus vaste espace vert urbain d'Allemagne. Aménagé en 1789 par Ludwig von Schell d'après un projet de l'Américain Benjamin Thompson, comte de Rumford (1753-1814), il est très apprécié en été. Des milliers de personnes prennent le soleil sur les immenses pelouses, flânent, courent, pédalent ou patinent sur les allées. On peut canoter sur Kleinhesseloher See, tandis que des surfers tentent leur chance contre le courant de l'Eisbach, près de la Haus der Kunst. Les *Biergarten (p. 24-25)*

Le Monopteros de l'Englischer Garten

de la Chinesischer Turm, de la Seehaus, du Hirschau et du Aumeister permettent de se désaltérer. Au sommet d'une colline artificielle, un large panorama s'ouvre du Monopteros, pastiche de temple grec, datant de 1837. ◎ *Plan G4-H1*.

3 Botanischer Garten

Créé dans le parc du Schloss Nymphenburg en 1914, le Jardin botanique de Munich est l'un des plus riches du monde avec quelque 14 000 variétés de plantes originaires de toute la planète. Les serres invitent au voyage dans des paysages exotiques, jungle tropicale ou désert. ◎ *Plan A2 • ouv. avr. et sept. : 9h-18h ; mai-août : 9h-19h ; fév., mars et oct. : 9h-17h ; nov.-janv. : 9h-16h30 • EP.*

4 Westpark

Des collines artificielles, un grand lac, de petits étangs et des ruisseaux composent un paysage inspiré des Préalpes dans le « parc de l'Ouest », d'une superficie de 72 ha. Sa partie occidentale, achevée pour l'Exposition internationale d'horticulture de 1983, renferme des jardins chinois et japonais, une pagode népalaise et un pavillon sacré thaïlandais. Une scène, au bord du lac, accueille concerts, spectacles et projections. Pour se rafraîchir, les promeneurs disposent de deux *Biergarten* et de deux cafés. ◎ *Plan B6-C6*.

➡ *En hiver, patineurs et joueurs de curling se partagent le Kleinhesseloher See de l'Englischer Garten.*

5 Hofgarten

De longues galeries
d'arcades bordent deux côtés
du jardin de la Cour, construit
au XVIIe s. dans le style
Renaissance contre le flanc nord
de la Residenz (p. 20). Tilleuls,
érables et châtaigniers offrent
une ombre bienvenue
aux joueurs de pétanque.
À la belle saison, les
amateurs de tango
se retrouvent le soir
pour danser au temple
de Diane, entouré
de pelouses (p. 21).

6 Alter Botanischer Garten

Proche de la gare, l'ancien
Jardin botanique est aujourd'hui
un petit parc où l'on vient
se reposer après une expédition
shopping dans la zone
piétonnière voisine. ◈ Plan J3.

7 Bavariapark

Aménagé sur ordre de
Louis Ier et achevé en 1850, cet
espace vert sépare la statue de
Bavaria, dont il porte le nom, du
Ruhmeshalle. Il s'étend à l'ouest
sur la butte de la Theresienhöhe.
Pendant l'Oktoberfest, il offre
un cadre paisible où l'on peut se
dégourdir les jambes et échapper
au bruit et à la foule. ◈ Plan D5.

8 Luitpoldpark

Ce parc créé en 1911 à
l'occasion du 90e anniversaire
du prince régent Luitpold
fut étendu en 1950 sur la
Luitpoldhügel, une butte
formée de gravats. Haute
de 33 m, elle ménage une
vue de la ville qui porte, par
temps clair, jusqu'aux Alpes.
La Bamberger Haus renferme
un café-restaurant et une galerie
de caricatures. ◈ Plan F1.

Temple de Diane, Hofgarten

9 Hofgarten Schleißheim

Ce jardin de l'époque
baroque, l'un des rares à avoir
conservé presque intact son
aspect d'origine, s'étend entre
le Neues Schloss de Schleißheim
et le Schloss Lustheim. En 1684,
Enrico Zuccalli (1642-1724) lui
donna sa disposition de base
et ses canaux. À partir
de 1715, Dominique
Girard ajouta
les parterres à la
française et les jeux
d'eau, rénovés en
1999, visibles devant
le Neues Schloss.
On lui doit aussi
l'effet de perspective
créé par l'axe principal.
◈ Oberschleißheim, Neues Schloss.

10 Rives de l'Isar (Isarauen) et roseraie

Les bords verdoyants de l'Isar
constituent l'un des grands
poumons verts de Munich.
La roseraie se trouve au sud du
Wittelsbacherbrücke, le « pont
des Wittelsbach ». Elle renferme
une riche collection d'arbres et
arbustes exotiques, ainsi qu'un
petit jardin pédagogique, planté
de végétaux toxiques. ◈ Plan E6
• ouv. mai-août : t.l.j. 7h-20h (mars, avr.,
sept. et oct. :18h ; nov.-fév. : 15h).

Fontaine de Neptune, Alter Botanischer Garten

 Deux anciens cimetières arborés, l'Alter Nördlicher Friedhof et
l'Alter Südlicher Friedhof, forment aussi des oasis de verdure.

Gauche **Tombeau de Louis IV, Frauenkirche** Centre **St. Maria in Ramersdorf** Droite **Frauenkirche**

Églises et lieux de culte

1 Frauenkirche
Les deux tours de la cathédrale Sainte-Marie (XVe s.), avec leurs dômes, confèrent à cette dernière une silhouette spécifique *(p. 27)*.

2 Asamkirche
L'église rococo des frères Asam *(p. 35)* est dédiée à saint Jean Népomucène, représenté sur des fresques du plafond *(p. 27)*.

3 Peterskirche et Alter Peter
La plus ancienne église paroissiale de Munich remonte au XIIIe s. Elle possède un maître-autel gothique, des fonts baptismaux baroques et des autels latéraux rococos. Trois cent deux marches mènent au sommet de sa tour Renaissance *(p. 26)*.

4 Ludwigskirche
Friedrich von Gärtner s'inspira du style roman lombard pour dessiner l'église Saint-Louis

Ludwigskirche, église néoromane

(1829-1843). L'immense fresque du *Jugement dernier* est du Nazaréen Peter von Cornelius. ◈ *Ludwigstr. 20 • plan M2 • ouv. t.l.j. 7h30-20h.*

5 Michaelskirche
Entreprise en 1583 pour les jésuites, l'église Saint-Michel est le plus grand édifice religieux de style Renaissance tardive situé au nord des Alpes. Elle possède la plus vaste voûte en berceau, après celle de Saint-Pierre de Rome. La crypte contient les sarcophages de l'électeur Maximilien Ier et du roi Louis II. Le bronze représentant saint Michel terrassant le dragon date de 1585. ◈ *Neuhauser Str. 6 • plan K4 • ouv. t.l.j. 7h-21h.*

Putto, Asamkirche

6 Theatinerkirche
La plus italianisante des églises de Munich, officiellement dédiée à saint Gaëtan, est un superbe exemple d'architecture baroque *(p. 27)*.

7 Klosterkirche St. Anna
Le premier sanctuaire rococo a été bâti à Munich, par Johann Michael Fischer entre 1727 et 1733 dans le quartier de Lehel. Des messes en français y sont célébrées dans un décor des frères Asam. La construction de l'église voisine, de style néoroman, commença en 1887. ◈ *St.-Anna-Platz 21 ou 5 • plan M4 et N4 • ouv. t.l.j. 6h-19h ou 8h-18h.*

Il est préférable de ne pas visiter les lieux de culte pendant les offices.

Maître-autel, Asamkirche

Autres lieux de culte

Dreifaltigkeitskirche
De superbes fresques des frères Asam ornent le plafond de cette église rococo (1711-1716). ✎ Pacellistr. 6 • plan K4.

Salvatorkirche
Ce sanctuaire orthodoxe grec (1494), attenant à la Frauenkirche, est de style gothique bavarois.
✎ Salvatorplatz 17 • plan L3.

St. Paul
La basilique édifiée entre 1892 et 1906 s'inspire du style gothique rhénan.
✎ St.-Pauls-Platz 11 • plan E5.

St. Bonifaz
Louis Ier repose dans la crypte de ce sanctuaire bénédictin (1835-1850).
✎ Karlstr. 34 • plan K3.

St. Elisabeth
Ignaz Günther dessina le mobilier de cette église rococo (v. 1760).
✎ Mathildenstr. 10 • plan J5.

Allerheiligen am Kreuz
Bien qu'en partie baroque, l'édifice remonte à 1478.
✎ Kreuzstr. 10 • plan K5.

St. Lukas
Ce temple protestant accueille des concerts.
✎ Mariannenplatz 3 • plan N5.

St. Georg
De nombreux artistes reposent dans le cimetière de cette église de village rococo.
✎ Bogenhauser Kirchplatz 1.

St. Michael in Berg am Laim
Cette ancienne église de Cour est de style rococo bavarois.
✎ Clemens-August-Str. 9a.

St. Maria Ramersdorf
Ce lieu de pèlerinage de la fin du gothique possède un intérieur baroque.
✎ Aribonenstr. 9.

Heiliggeistkirche
Une basilique gothique a remplacé, en 1392, l'église de l'hospice du Saint-Esprit. Remanié en 1724 dans le style baroque, le sanctuaire renferme des fresques et des stucs des frères Asam. ✎ Im Tal 77 • plan L5 • ouv. t.l.j. 7h-12h et 15h-18h.

Damenstift St. Anna
l'ancien couvent de l'ordre des Salésiens est devenu un lieu d'enseignement. Les frères Asam dessinèrent, à la fin du XVIIIe s., la façade et l'intérieur de son église, de style baroque tardif. Les fresques détruites pendant la Seconde Guerre mondiale ont été reconstituées en sépia. ✎ Damenstiftstr. 1 • plan K4 • ouv. t.l.j. 8h-20h.

Synagogue Ohel-Jakob
La synagogue de Munich a été inaugurée en 2006, 68 ans après que Hitler eut ordonné la destruction de la précédente. En forme de cube, cette imposante construction en pierre est surmontée d'un toit en verre. La synagogue fait partie du Centre juif sur la Sankt-Jakobs-Platz (p. 80). ✎ St.-Jakobs-Platz • plan K5.

Parmi les artistes inhumés au cimetière Saint-Georges se trouvent Liesl Karstadt, Erich Kästner, Oskar Maria Graf et Rainer Werner Fassbinder.

Gauche et centre **Münchner Kammerspiele, intérieur et façade** Droite **Cuvilliés-Theater**

Opéra, théâtres et concerts

1 Bayerische Staatsoper

Édifié en 1811, le bâtiment néoclassique qui abrite l'Opéra national bavarois dut être reconstruit entre 1823 et 1825, après un incendie. Il devint l'un des hauts lieux européens de l'art lyrique sous le règne de Louis II (1864-1886), mécène de Richard Wagner – quatre de ses opéras furent créés dans la salle. Endommagé pendant la Seconde Guerre mondiale, l'Opéra, réputé pour la richesse de son répertoire, ne rouvrit qu'en 1963. ◈ Max-Joseph-Platz 2
• plan L4 • (089) 21 85 19 20
• www.staatsoper.de

2 Bayerisches Staatsschauspiel

À côté de l'Opéra, le Residenz Theater, siège du Théâtre national bavarois, qui gère aussi le Theater im Haus der Kunst, a ouvert ses portes en 1951. Sa façade austère cache un intérieur somptueux (restauré entre 1988 et 1991). Le directeur artistique,

Bayerische Staatsoper

Dieter Dorn, propose un programme très éclectique.
◈ Max-Joseph-Platz 1 • plan L4
• (089) 21 85 19 40
• www.bayerischesstaatsschauspiel.de

3 Cuvilliés-Theater

Le temps semble s'être arrêté dans cette splendide salle rococo, dont le mobilier et le décor furent mis en sécurité pendant la Seconde Guerre mondiale. Détruit pendant un bombardement, il a été reconstruit et a rouvert en 1958. Il accueille les créations du Bayerisches Staatstheater (p. 20).

4 Münchner Kammerspiele

La compagnie théâtrale municipale occupe, depuis 1926, un édifice de 1901 dessiné par Richard Riemerschmid. Des dizaines de lampes en forme de boutons de fleur éclairent la salle de style Art nouveau. Les Kammerspiele se sont imposés avant guerre comme l'une des troupes majeures hors de Berlin en interprétant les œuvres d'auteurs d'avant-garde, comme Bertolt Brecht. Ils continuent de proposer un théâtre novateur.
◈ Maximilianstr. 28 • plan M4
• (089) 23 39 66 00
• www.muenchner-kammerspiele.de

5 Staatstheater am Gärtnerplatz

Cette salle intime créée en 1865 pour un public bourgeois reste très appréciée des amateurs d'opéras, d'opérettes et de

Un site Internet permet de réserver des places dans les théâtres nationaux : **www.staatstheater-tickets.bayern.de**

comédies musicales, dont les mises en scène restent traditionnelles. ◈ *Gärtnerplatz 3*
• *plan L6* • *(089) 21 85 19 60*
• *www.staatstheateramgaertnerplatz.de*

Gasteig
Ce centre culturel, installé dans un bâtiment de 1985 en brique et en verre, organise 1 700 manifestations par an, des concerts de l'orchestre philharmonique de Munich au Festival du film.
◈ *Rosenheimer Str. 5* • *plan N6*
• *(089) 48 09 80*
• *www.gasteig.de*

Herkulessaal
Des ensembles comme le Symphonieorchester des Bayerischen Rundfunks, le Münchner Symphoniker et le Münchner Kammerorchester se produisent dans cette salle de 1 200 places de la Residenz. Ils jouent souvent à guichet fermé. ◈ *Residenzstr. 1 (entrée par le Hofgarten)* • *plan L3-M3* • *(089) 29 06 71.*

Prinzregententheater
Édifié en 1901 pour servir de cadre à un festival Wagner, le théâtre du Prince Régent accueille aujourd'hui des productions de l'Opéra national et de la Bayerische

Gasteig

Theaterakademie August Everding, une école de théâtre.
◈ *Prinzregentenplatz 12*
• *plan H4* • *(089) 21 85 28 99*
• *www.prinzregententheater.de*

Münchner Volkstheater
Le Théâtre populaire munichois propose un programme bien plus sophistiqué que ne le laisse entendre son nom. ◈ *Brienner Str. 50* • *plan J2* • *(089) 523 46 55*
• *www.muenchner-volkstheater.de*

Deutsches Theater
Le principal lieu d'accueil des vedettes et des comédies musicales internationales se transforme en une étincelante salle de bal pendant le carnaval.
◈ *Schwanthalerstr. 13* • *plan J4*
• *(089) 55 23 44 44*
• *www.deutsches-theater.de*

De nombreux théâtres ferment fin juillet. La nouvelle saison commence, en général, fin septembre.

43

Gauche **Pasinger Fabrik** Droite **Blutenburgtheater**

Petites salles et cabarets

Pasinger Fabrik
L'« Usine de Pasing », proche de la station de U-Bahn, abrite un centre culturel dont la plus grande salle est baptisée « Beaucoup de bruit pour rien ». Celui-ci propose de nombreuses activités aux enfants. La cafétéria sert une délicieuse cuisine. ◈ *München-Pasing, August-Exter-Str. 1 • (089) 82 92 90 79 • www.pasinger-fabrik.com*

Komödie im Bayerischen Hof
L'élégant et luxueux théâtre, dans le célèbre Bayerischen Hof, met à l'honneur la comédie et le music-hall, parfois interprétés par des acteurs renommés. ◈ *Promenadeplatz 6 • plan K4-L4 • (089) 39 16 05 30 • www.komodie-muenchen.de*

i-camp
Centre culturel, l'i-camp est une plate-forme pour une large variété d'expressions artistiques novatrices, dont le théâtre, la danse, la musique contemporaine, l'art video, entre autres. ◈ *Entenbachstr. 37 • plan F6 • (089) 65 43 25 • www.i-camp-muenchen.de*

TamS-Theater
Ce « théâtre à fonction sociale » est situé à Schwabing, dans une cour intérieure. Fondé en 1970 par Philip Arp, il a bâti sa réputation sur les *Valentinaden*, qui revendiquent l'esprit satirique de Karl Valentin. ◈ *Haimhauserstr. 13a • plan G2 • (089) 34 58 90 • www.tamstheater.de*

TeamTheater
Cet établissement, fondé en 1985, possède deux salles. La Teamtheater Tankstelle, qui dispose de 100 places, accueille régulièrement des pièces et des conférences en français. La Teamtheater Comedy est un théâtre-restaurant. ◈ *Am Einlass 2a ou 4 • plan L5 • (089) 260 43 33 et 260 66 36 • www.teamtheater.de*

Schauburg
Le théâtre municipal pour la jeunesse occupe un ancien cinéma. Sa programmation comprend des spectacles de danse et des concerts. Elle s'adresse aussi aux adultes. ◈ *Elisabethplatz • plan F3 • (089) 23 33 71 55 • www.schauburg.net*

Façade du Schauburg

München Ticket permet d'acheter des places dans de nombreuses salles de spectacle : **www.muenchenticket.de**

Théâtre TamS

Blutenburgtheater

Le Blutenburgtheater, qui peut accueillir 90 spectateurs, a pour spécialité les pièces policières. ✪ *Blutenburgstr. 35*
• *plan D3* • *(089) 1234300*
• *www.blutenburg-theater.de*

Metropol

Cet ancien cinéma des années 1950 transformé en théâtre en 1998 propose des productions de qualité, souvent du théâtre musical, dans une salle de 140 places. ✪ *München-Freimann, Floriansmühlstr. 5* • *(089) 32 19 55 33* • *www.metropoltheater.com*

Lach- und Schießgesellschaft

Le cabaret a acquis sa réputation dans les années 1950, sous la direction de Dieter Hildebrandt, et sa célébrité s'est accrue quand son fondateur est devenu une vedette du petit écran. L'équipe a changé mais le programme entretient la tradition, en portant un regard ironique sur la politique. ✪ *Ursulastr. 9 (près de la Haimhauserstr.)* • *plan G2* • *(089) 391997* • *www.lachundschiess.de*

Theater im Fraunhofer

Dans cette taverne, qui sert des plats bavarois, des musiciens et des humoristes se produisent sur une petite scène.
✪ *Fraunhoferstr. 9* • *plan L4* • *(089) 26 78 50* • *www.fraunhofertheater.de*

Personnalités de la musique et du théâtre

1 Richard Strauss (1864-1949)
Le compositeur et chef d'orchestre est né à Munich.

2 Frank Wedekind (1864-1918)
Le dramaturge fonda, en 1896, le journal satirique radical *Simplicissimus*.

3 Otto Falckenberg (1873-1947)
Les Münchner Kammerspiele restèrent sous sa direction de 1917 à 1944.

4 Karl Valentin (1882-1948)
Ce comédien et auteur très populaire est souvent comparé à Charlie Chaplin.

5 Weiß Ferdl (1883-1949)
Ferdinand Weisheitinger dirigea le cabaret Am Platzl pendant 20 ans.

6 Liesl Karlstadt (1892-1960)
Elisabeth Wellano fut, pendant 25 ans, la partenaire de Karl Valentin.

7 Carl Orff (1895-1982)
Le compositeur munichois de *Carmina Burana* enseigna au conservatoire de musique.

8 Bertolt Brecht (1898-1956)
Le célèbre dramaturge, originaire d'Augsbourg, commença sa carrière aux Münchner Kammerspiele.

9 August Everding (1928-1999)
Le directeur artistique du Staatsoper a dominé la scène musicale de la ville pendant des années.

10 Rainer Werner Fassbinder
Le cinéaste *(p. 55)* fonda son « antithéâtre » en 1968 dans la capitale bavaroise.

Vous trouverez des programmes à jour dans les quotidiens et sur les colonnes d'affichage.

Gauche **Nationaltheater** Droite **Logo de la biennale de Munich**

Top 10 Munich

🔟 Festivals et manifestations en plein air

Münchener Biennale
Le compositeur Hans Werner Henze fonda, en 1988, ce festival international du nouveau théâtre musical, qui est devenu un des temps forts de la vie culturelle de la cité. Ses organisateurs donnent à de jeunes talents les moyens de concrétiser leurs projets.
🎴 *Deux semaines en mai les années paires*
• www. muenchenerbiennale.de

Lion Löwenbräu, Oktoberfest

Blade Nights
Les « Nuits des lames », organisées entre mai et septembre, réunissent jusqu'à 30 000 patineurs en ligne. Tous les lundis soirs, un itinéraire d'environ 15 km est interdit à la circulation pour les patineurs. 🎴 *mai-sept. : tous les lundis* • www.aok-blade-night.de

Filmfest München
Moins important que son homologue de Berlin, et mois fréquenté par les vedettes, le Festival du film de Munich est réputé pour être une manifestation populaire. Il attire 1 500 professionnels et plus de 600 journalistes. Il se déroule au Gasteig, mais des projections ont également lieu dans plusieurs cinémas de la ville, ainsi qu'en plein air, le soir. 🎴 *fin juin : 9 jours*
• www.filmfest-muenchen.de

Tollwood
Né en 1988 de l'initiative de quelques professionnels du café-théâtre, cet audacieux festival culturel propose un programme éclectique de musique, de théâtre et de performances artistiques. On peut y goûter toutes les cuisines du monde.
🎴 *Festival d'été (juin-juil.) dans le sud de l'Olympiapark ; Festival d'hiver (nov.- 31 déc.) sur la Theresienwiese*
• www.tollwood.de

Opern-Festspiele
Les premières des quatre opéras de Wagner et un festival consacré à Mozart ont fait de Munich un grand pôle musical sous Louis II. En 1910 est née la Semaine Richard Strauss, une tradition qui a débouché sur l'Opern-Festspiele, un festival d'opéra qui présente une sélection d'œuvres classiques et contemporaines. 🎴 *fin juin-fin juillet*
• www.bayerische.staatsoper.de

Projection en plein air pendant le Festival du film

 En novembre-décembre, lors de la Münchner Bücherschau, les bibliophiles peuvent découvrir la bibliothèque du Gasteig.

6 Königsplatz Open Air

Le cadre majestueux et les pelouses de la place Royale se prêtent particulièrement bien à diverses manifestations en plein air comme les opéras, les concerts classiques, de rock ou de variété et les projections de films. ◎ *Juil.* • www.kinoopenair.de

7 THEATRON MusikSommer et PfingstOpenAir

Selon le *Guinness des Records*, le MusikSommer est le plus long festival en plein air au monde. Il propose 24 jours d'animation musicale, du classique au rock, à l'Olympiapark. Le festival PfingstOpenAir se tient en mai. ◎ *Août et fin mai* • www.theatron.de

8 Oktoberfest

Plus de 6 millions de personnes font chaque année le pèlerinage jusqu'au champ de foire, où se déroule la plus grande fête populaire du monde. Pendant seize jours, de mi-septembre à début octobre, la bière coule à flots *(p. 22-23)*.

9 Dance

Fruit d'une collaboration entre la municipalité de Munich et plusieurs partenaires locaux et internationaux, ce festival de danse contemporaine présente des productions souvent pluridisciplinaires et presque toujours surprenantes. ◎ *Fin oct.-déb. nov. les années paires* • www.dance2012.de

10 SpielArt

« Fenêtre sur le monde du théâtre », SpielArt présente, dans plusieurs salles, des créations d'origines très variées. Leur point commun est de s'interroger sur l'existence. ◎ *Mi-nov.-déb. déc. les années impaires* • www.spielart.org

Autres manifestations

1 Semaine du Ballet

Spectacles du Ballet national et de compagnies invitées. ◎ *Mi-avr.* • www.bayerisches.staatsballett.de

2 Frühlingsfest

La petite sœur de l'Oktoberfest se déroule également sur la Theresienwiese mais au printemps. ◎ *Mi-avr.-déb. mai.*

3 Internationales Dokumentar-filmfestival

Ce festival du documentaire existe depuis 1985. ◎ *Mai* • www.dokfest-muenchen.de

4 Stadtgründungsfest

La « fête de la Fondation de la ville » donne lieu à des manifestations culturelles entre la Marienplatz et l'Odeonsplatz. ◎ *1er week-end de juin.*

5 Brunnenhofkonzerte

Les soirs d'été, la Brunnenhof de la Residenz accueille des concerts gratuits et éclectiques. ◎ *Juil.* • www.muenchen.de

6 Klaviersommer

L'« Été du clavier » réunit, à Munich, des célébrités internationales du jazz. ◎ *Juil.*

7 Christopher-Street-Day

Grande parade homosexuelle. ◎ *Juil.* • www.muenchen.gay-web.de/csd

8 Fantasy Filmfest

Le rendez-vous des amateurs de films de genre. ◎ *Sept.* • www.fantasyfilmfest.com

9 Comicfestival

Trois jours consacrés à la bande dessinée. ◎ *Juin les années impaires* • www.comicfest-muenchen.de

10 Lange Nächte

Plusieurs « Longues Nuits » culturelles ont lieu dans la ville. ◎ www.muenchen.de

Pages suivantes **Karlsplatz et Justizpalast (ministère de la Justice).**

Gauche **Hofbräuhaus** Centre **Augustinerbräu** Droite **Weißes Bräuhaus**

🔟 Tavernes traditionnelles

1 Hofbräuhaus
Une visite de Munich ne saurait être complète sans une pause dans cette vénérable brasserie *(p. 80)*, quintessence très touristique du débit de boissons bavarois. Des orchestres traditionnels y jouent à midi et à 1 h, et la population locale elle-même se laisse séduire. ⊗ *Am Platzl 9 • plan M4 • (089) 22 01 36 10 • www.hofbraeuhaus.de*

2 Augustinerbräu
Un édifice historique achevé en 1897 renferme une brasserie, un restaurant et des salles pour banquets au décor recherché, dont la Muschelsaal, parée de coquillages. En été, vous pourrez aussi vous installer sur la terrasse de la zone piétonnière ou dans la splendide Arkadenhof. ⊗ *Neuhauser Str. 27 • plan K4 • (089) 23 18 32 57 • www.augustiner-restaurant.com*

3 Löwenbräukeller
La cave Löwenbräu domine, depuis 1883, une place animée située à courte distance du centre, la Stiglmaierplatz. Le lion en pierre, choisi comme symbole par la brasserie, domine l'entrée du bâtiment. Celui-ci abrite plusieurs salles, dont une de bal. Le lieu est réputé pour son *Biergarten* (p. 24). Au mois de mars, la

mise en perce du premier fût de Triumphator marque le début de la « cinquième saison », celle de la bière Bock. ⊗ *Stiglmaierplatz • plan E4 • (089) 54 72 66 90 • www.loewenbraeukeller.com*

4 Weißes Bräuhaus
C'est l'endroit pour déguster des spécialités locales, comme la *Pfannkuchensuppe* (bouillon de poulet garni de lanières de crêpes), la *G'schwollene* (saucisse de veau frite) et le *Schweinebraten* (rôti de porc). En général, les habitués accompagnent ces plats, bon marché, d'une bière blanche à base de froment, comme la Schneider Weiße. ⊗ *Im Tal 7 • plan L4 • (089) 29 01 38 0 • www.weisses-brauhaus.de*

5 Nockherberg
Dévasté en 1999 par un incendie, ce temple de la bière Paulaner, dominant l'Isar, a rouvert en 2003. Depuis, les hommes politiques y reviennent subir les critiques ironiques de « frère Barnabé », un comique déguisé en moine, lors du « Derbleck'n », la mise en perce du premier tonneau de Salvator. Les agapes sont retransmises à la télévision. ⊗ *Hochstr. 77 • plan G4 • (089) 45 99 13 0 • www. nockherberg.com*

Löwenbräukeller, Stiglmaierplatz

  Restaurants **p. 64-65, 85, 93, 103 et 111.**

L'Arkadenhof de l'Augustinerbräu

Beim Sedlmayr

Cette auberge rustique, fondée par le comédien Walter Sedlmayr, propose des spécialités bavaroises. ◈ *Westenriederstr. 14* • *plan L5* • *(089) 22 62 19.*

Franziskaner Fuchsenstuben

Cet établissement vieux de 200 ans a la réputation de servir les meilleurs *Weißwürste* (saucisses de veau) et *Leberkäse* (terrine de viande) de la ville. ◈ *Perusastr. 5* • *plan L4* • *(089) 23 18 12 0.*

Augustinerbräustuben

Il règne une authentique ambiance bavaroise dans les anciennes caves et écuries de la brasserie. Pendant l'Oktoberfest, on peut y admirer des chevaux de trait. ◈ *Landsberger Str. 19* • *plan D4* • *(089) 50 70 47.*

Fraunhofer

Le Fraunhofer attire de nombreux étudiants et membres de la scène alternative. L'intérieur date du tournant du XIXe s. L'arrière-cour abrite une petite scène. ◈ *Fraunhoferstr. 9* • *plan L6* • *(089) 26 64 60.*

Paulaner Bräuhaus

La carte propose des plats de gibier, que les habitués accompagnent d'une chope de bière maison servie à la pression. ◈ *Kapuzinerplatz 5* • *plan E6* • *(089) 5 44 61 10.*

Bières munichoises

Augustiner

Les Augustins d'un monastère proche de la cathédrale ont commencé à brasser le « champagne des bières » en 1328.

Franziskaner Weißbier

Le groupe Spaten-Löwenbräu commercialise aujourd'hui la bière blanche que les franciscains de la Residenzstraße produisirent dès 1363.

Paulaner

C'est en 1634 que les moines paulins commencèrent à fabriquer de la bière.

Löwenbräu

La brasserie Löwenbräu, dont les origines remontent à 1383, tient le haut du pavé à Munich depuis le XIXe s.

Hofbräu

Le duc Guillaume IV fonda sa propre brasserie en 1589. En 1607, celle-ci déménagea à Am Platzl, où se dresse l'Hofbräuhaus.

Spaten

L'entreprise créée au XIVe s. prit le nom de la famille Spatt au XVIe s.

Unert Weißbier

Pour certains amateurs, l'Unertl brassée à Haag, en Haute-Bavière, est la bière blanche par excellence.

Erdinger Weißbier

Cette bière blanche est l'une des plus réputées parmi les mille fabriquées en Bavière.

Ayinger

La bière est élevée au rang de philosophie dans la brasserie du village d'Aying.

Andechser

L'abbaye bénédictine bâtie sur la « montagne sacrée » est connue pour sa bière depuis le Moyen Âge.

 L'Association des hôtels et restaurants bavarois possède un site Internet : www.bhg-online.de

Gauche et centre **Viktualienmarkt** Droite **Éventaire**

Marchés et foires

1 Viktualienmarkt

L'ancien marché fermier créé en 1807 en plein centre-ville (p. 27) attire aujourd'hui une clientèle avertie. Du lundi au samedi, ses éventaires proposent des légumes et des fruits frais, de la viande, des œufs, du miel, des épices exotiques, des condiments et des fleurs. À la belle saison, un petit jardin à bière permet de se désaltérer en plein air. Les effigies de célébrités appartenant à l'histoire de la ville ornent les fontaines. ○ Plan L5.

2 Markt am Elisabethplatz

L'Elisabethplatz du quartier de Schwabing fut baptisée en l'honneur de l'impératrice d'Autriche, plus connue sous le nom de Sissi. Depuis 1903, le deuxième plus grand marché de Munich s'y tient tous les jours sauf le dimanche. Parmi les produits vendus, on trouve, entre autres, du fromage et de nombreuses spécialités culinaires maison. On peut se détendre dans le petit café du marché, très agréable. ○ Plan F3.

3 Markt am Wiener Platz

Beaucoup de téléfilms tournés dans la capitale bavaroise utilisent comme décor les étals à demeure de la Wiener Platz de Haidhausen. Les stands de restauration attirent les employés du quartier. ○ Plan P5.

4 Großmarkthalle

Il règne une atmosphère animée dans les quatre grandes halles du marché de gros inauguré en 1912. Plusieurs excellents restaurants se sont installés dans le bâtiment et aux alentours. ○ Thalkirchnerstr.

5 Auer Dulten

Les célébrations religieuses organisées dans le quartier d'Au à partir du XIVe s. se sont transformées, dans un premier temps, en fêtes populaires annuelles (Dulten), puis, finalement, en foires commerciales de neuf jours : Maidult, à la fin avril, Jakobidult, qui débute le 25 juillet, et Herbstdult, à la fin octobre. Dans une atmosphère chargée d'arômes de poissons grillés, les forains vantent haut et fort les vertus de leurs marchandises : vaisselle, médications diverses et, bien entendu, bric-à-brac. ○ Mariahilfplatz • plan F6-G6 • www. auerdult.de

6 Antikmärkte

Les amateurs d'antiquités fréquentent l'Antikpalast (Rosenheimer Straße 143). D'intéressants marchés à la brocante se tiennent dans les quartiers de Daglfing (Traberstraße 1) et de Munich-Freimann (Lilienthalallee 29).
○ www.antikpalast-muenchen.de
• www.flohmarkt-daglfing.de
• www.zenith-die-kulturhalle.de

Tabatière, au marché aux puces

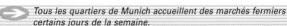

Tous les quartiers de Munich accueillent des marchés fermiers certains jours de la semaine.

Statue de Roider Jackl, Viktualienmarkt

Marchés aux puces

Le plus important marché aux puces de Bavière se tient sur le terrain de la Neue Messe (Alfons-Goppel-Straße 3). Si vous vous trouvez à Munich en avril, ne manquez pas le grand déballage sur la Theresienwiese.
❦ www.muenchen.de

Produits d'occasion

Les objets d'occasion étant très en vogue, les boutiques « vintage » fleurissent à tout va.
❦ Städtisches Gebrauchtwarenhaus, Sachsenstr. 25 • Diakonia Gebraucht-Warenhaus, Landshuter Allee 38, plan D3 • liste de boutiques sur www.muenchen.de/service/brauchenbuch

Weihnachtsmärkte

Les marchés de Noël entretiennent une vieille tradition. La Marienplatz accueille le plus grand, mais ceux de Schwabing et de Haidhausen dégagent une atmosphère plus authentique. ❦ Marienplatz, plan L4 • Münchner Freiheit, plan G2 • Weißenburger Platz, plan P6.

Magdalenenfest

Foire et marché en juillet, lors de la fête de sainte Mary Magdalene. ❦ Hirschgarten • plan B4.

Célébrités munichoises

1 Julius Thannhauser (1860-1921)
La renommée de ce bateleur de fête foraine s'est étendue bien au-delà de la cité.

2 Elise Aulinger (1881-1965)
Cette actrice de cinéma fut aussi une pionnière de la radio et la créatrice du personnage de Ratschkathl.

3 Hans Blädel (1871-1937)
Cordonnier de formation, il devint un virtuose de la musique populaire.

4 Minna Reverelli (1892-1941)
Née Hermina Knapp, elle s'imposa au Am Platzl comme la reine du jodeln.

5 Ratschkathl
L'artiste de cabaret Ida Schumacher (1894-1956) fut la meilleure Ratschkathl, célèbre employée de maison de théâtre, dont le nom signifie « langue de vipère ».

6 Roider Jackl (1906-1975)
Ce fils de fermier a bâti sa réputation sur sa maîtrise du Gstanzln, des rimes satiriques mises en musique.

7 Blasius
Sous ce pseudonyme, Sigi (Siegfried) Sommer (1914-1996) publia une chronique très populaire dans le Münchner Abendzeitung.

8 Bally Prell (1922-1982)
Ce ténor entretint la tradition des Volkssänger.

9 Walter Sedlmayr (1926-1990)
Il est surtout connu pour ses publicités pour Paulaner.

10 Helmut Fischer (1926-1997)
Il incarna Monaco Franze à la télévision.

Gauche **Affiche du Festival du documentaire** Centre **Cinéma Arri Kino** Droite **Cinéma Mathäser**

🔟 Le Hollywood bavarois

1 Geiselgasteig et Bavaria Filmstadt

Les studios de Geiselgasteig sont en activité depuis 1910. Ils ont servi de cadre, notamment, aux tournages de films d'Ingmar Bergman ainsi qu'à celui de Wolfgang Petersen, *L'Histoire sans fin*. Bavaria Filmstadt les fait découvrir au public dans le cadre d'une visite de 90 min.
🔊 *Geiselgasteig, Bavariafilmplatz 7*
• *(089) 64 99 20 00* • *ouv. mi-mars-oct. : t.l.j. 9h-16h ; nov.-fév. : t.l.j. 10h-15h*
• *www.filmstadt.de*

2 Filmfest München

Le Festival du film de Munich *(p. 46)*, créé en 1983, se déroule à la fin du mois de juin. Il propose plusieurs programmes répondant à des thèmes comme « Le nouveau cinéma allemand »

ou encore « Les indépendants américains ». Le festival international des films d'école a lieu pendant six jours au mois de novembre.
🔊 *www.filmfest-muenchen.de*

3 Université de télévision et cinéma de Munich (HFF)

Cette université, ouverte en 1967, compte Wim Wenders et Roland Emmerich parmi ses plus célèbres diplômés. Des films sont régulièrement projetés dans sa salle de cinéma.
🔊 *Frankenthaler Str. 23* • *(089) 68 95 70* • *www.hff-muenchen.de*

4 Münchner Filmmuseum im Stadtmuseum

La salle du musée du Cinéma a été rénovée et dotée d'équipements dernier cri en matière de projection tout format. Depuis 40 ans, elle présente des films étrangers, des films d'archives restaurés et des films muets, pour lesquels des musiciens assurent parfois, en direct, l'illustration sonore.
🔊 *St.-Jakobs-Platz 1* • *plan L5*
• *(089) 23 32 23 48* • *AH.*

5 Festival international du documentaire

Cette rencontre, organisée au mois de mai, privilégie les films qui soulèvent des questions d'ordre politique et social. Les spectateurs peuvent débattre avec les réalisateurs.
🔊 *(089) 51 39 97 88*
• *www.dokfest-muenchen.de*

Pogramme du Filmfest München de 2010

Pour connaître les programmes des cinémas de Munich, consultez le site www.artechock.de/film

Fantasy Filmfest
6 Deux cinémas organisent, en août et en septembre, ce festival du cinéma fantastique, de science-fiction et à suspense.
❧ www.fantasyfilmfest.com

Mathäser
7 Ce temple du cinéma munichois est devenu un complexe multisalle ultramoderne. Il accueille souvent des avant-premières.
❧ Bayerstr. 5 • plan J4
• (089) 51 56 51 • AH.

Arri Kino
8 L'Arri Kino projette des films d'art et d'essai, et des documentaires. Le bâtiment, apprécié des Berlinois, possède un grand hall d'entrée et un bar.
❧ Türkenstr. 91 • plan L1
• (089) 38 89 69 64 • PAH.

Maxim
9 Dirigé par le cinéphile Sigi Daiber, le Maxim présente des films en version originale.
❧ Landshuter Allee 33 • plan D3
• (089) 16 87 21 • AH.

Werkstattkino
10 Ce « cinéma-atelier », installé dans une arrière-cour, propose une programmation pointue. ❧ Fraunhoferstr. 9 • plan L6
• (089) 2 60 72 50 • PAH.

Cascade, Bavaria Filmstadt

Réalisateurs munichois

Percy Adlon (1935-)
1 Le succès de *Bagdad Café* lui a valu de partir travailler à Hollywood.

Herbert Achternbusch (1938-)
2 Achternbusch tourne des films dans la tradition de Karl Valentin *(p. 45)*. Le cinéaste est aussi dramaturge.

Michael Verhoeven (1938-)
3 Le mari de Senta Berger a réalisé, en 1982, *La Rose blanche*, sur Hans et Sophie Scholl *(p. 35)*.

Joseph Vilsmaier (1939-)
4 Son dernier succès, *Comedian Harmonists*, date de 1997.

Helmut Dietl (1944-)
5 Dietl a mis Munich en scène dans des séries télévisées comme *Kir Royal* (1985).

Rainer Werner Fassbinder (1945-1982)
6 Le prodige du nouveau cinéma allemand a dirigé plus de 40 films.

May Spils
7 L'esprit bohème de Schwabing donne le ton de *Zur Sache Schätzchen*, « Venons-en au fait mon Trésor », sorti en 1967.

Doris Dörrie (1955-)
8 Réalisatrice et actrice, elle a connu le succès en 1985 avec *Männer (Hommes)*.

Caroline Link (1964-)
9 En 2002, elle a obtenu l'oscar du meilleur film étranger pour *Nowhere in Afrika*.

Florian Gallenberger (1972-)
10 En 2001, il a reçu un oscar pour son court-métrage *Quiero ser*.

➤ *Pages suivantes* **Lenbachhaus**.

55

Gauche **Optimolwerke** Centre et droite **Kultfabrik München**

🔟 Vie nocturne

1 Atomic Café
La popularité de l'Atomic au décor évoquant les années 1960, est constante depuis 1997. Le club accueille groupes et DJ. Lorsqu'il n'y a pas de concert, l'entrée est gratuite jusqu'à 23 h. ◆ *Neuturmstr. 5 • plan M4 • (089) 2 28 30 52 • ouv. mar.-sam. à partir de 21h, f. sam.-dim.*

2 Pacha
Le Pacha diffuse de la *house music* et accueille les meilleurs DJ. Sa grande terrasse en fait l'un des plus beaux clubs de la ville. ◆ *Maximiliansplatz 5 • plan K3 • (089) 30 90 50 850 • ouv. ven. et sam. et veilles de j.f. à partir de 22h ; jeu. à partir de 18h30 • www.pacha-muenchen.com*

3 8 Seasons
Son bail de deux ans (d'où son nom) est arrivé à échéance depuis des années, mais le club vit une deuxième vie au sein d'un palais néogothique dans le quartier de Ludwigsvorstadt. Sa clientèle, chic, apprécie son agréable terrasse sur le toit. Venez un soir où le DJ Tim Kesser, star de la scène électro officie. ◆ *Sonnenstr. 26 • plan J5 • (089) 24 29 44 44 • ouv. mar. à partir de 19h, ven. et sam. à partir de 22h • www.8seasons.de*

4 Paradiso Tanzbar
Dans les locaux du légendaire Old Mrs.Henderson où Mick Jagger, David Bowie et Freddy Mercury dansèrent, ce club branché à la décoration rétro – chandeliers et immenses miroirs – fait bouger sa clientèle sur des tubes des années 1980. ◆ *Rumfordstr. 2 • plan M5 • (089) 26 34 69 • ouv. mar.-sam. à partir de 22h • www.paradiso-tanzbar.de*

5 Muffathalle
L'un des plus beaux lieux de la ville occupe une ancienne centrale de chauffage, juste derrière le Müller'sche Volksbad. Concerts, pièces de théâtre, spectacles de danse et conférences sont proposées. Soirées discothèque le vendredi et le samedi. ◆ *Zellstr. 4 • plan N5 • (089) 45 87 50 10 • www.muffathalle.de*

Comptoir du café Muffathalle

6 P1
Les videurs se montrent extrêmement sélectifs à l'entrée de ce club, fréquenté par les joueurs de la grande équipe de football, le FC Bayern, entre autres célébrités. L'ambiance en semaine y est

Remarque : *sauf mention spéciale, lieux de concert et clubs exigent un droit d'entrée.*

davantage celle d'un bar *lounge* que d'une boîte de nuit.

🔗 *Prinzregentenstr. 1 • plan M3*
• (089) 21 11 14 10 • ouv. t.l.j. (jusqu'à 4h sam.-jeu. ; plus tard ven. et sam.)
• www.p1-club.de

7 Night Club Bar (Bayerischer Hof)

De grands noms du jazz se produisent au Night Club Bar, un bar de nuit installé dans un hôtel de luxe *(p. 144)*. Musique soul et funk également.

🔗 *Promenadeplatz 2-6 • plan K4-L4*
• (089) 212 09 94 • ouv. t.l.j. 22h-3h
• entrée parfois gratuite
• www.bayerischerhof.de

8 Club Morizz

L'un des endroits les plus chic de Munich pour la communauté gay, mais aussi pour ceux qui aiment faire la fête *(p. 62)*.

9 Kultfabrik München

Cette vaste zone destinée aux loisirs est située dans le quartier de Haidhausen. Elle renferme plus de 20 bars, clubs et discothèques.

🔗 *Grafinger Str. 6 • plan H6*
• (089) 49 00 90 70 • www.kultfabrik.de

10 Optimolwerke

L'Optimolwerke, à deux pas de la Kultfabrik, abrite aussi un grand nombre de clubs et discothèques. 🔗 *Friedenstr. 10, Rosenheimer Str. • plan H6 • (089) 45 06 920 • www.optimolwerke.de*

Concert au Night Club Bar

Bars et cafés animés

1 Café Glockenspiel

Ce lieu de rencontre pour les 30-40 ans dispose d'une terrasse chauffée.
🔗 *Marienplatz 28 (prendre le passage, puis l'ascenseur jusqu'au 5e ét.) • plan L4.*

2 Roxy

Café légendaire de Schwabing, le Roxy attire la jeunesse dorée de la ville.
🔗 *Leopoldstr. 48 • plan G3.*

3 Café Lotter-Leben

Ce café-bar à l'ambiance extravagante est situé sur Viktualienmarkt.
🔗 *Frauenstr. 4 • plan L5.*

4 Villa Flora

La Villa Flora et son jardin à bière attirent une clientèle qui aime s'amuser.
🔗 *Hansastr. 44 • plan C5.*

5 Sausalitos

L'ambiance mexicaine a surtout du succès auprès des jeunes Munichois.
🔗 *Türkenstr. 50 • plan L1.*

6 Lenbach

Un bar de palace.
🔗 *Ottostr. 6 • plan K3.*

7 Hit the Sky

La décoration est à base de rose et de rouge... Une invitation au flirt et à la passion.
🔗 *Baaderstr. 33 • plan L6.*

8 Baader Café

Les étudiants apprécient ses prix raisonnables.
🔗 *Baaderstr. 47 • plan L6.*

9 Vorstadt-Café

On se retrouve ici du petit déjeuner au petit matin.
🔗 *Türkenstr. 83 • plan L1.*

10 Netzer & Overath

Ce bar pour amateurs de football se transforme en discothèque pour rockers le soir. 🔗 *Baaderstr. 33 • plan L6.*

Gauche **Schumann's** Centre **Tambosi** Droite **Bar Centrale**

🔟 Bars et cafés

1 Schumann's
Le bar le plus chic de Munich, qui a ouvert en 1982, est maintenant situé dans le Hofgarten. La plupart des tables étant occupées par des habitués, il est indispensable de réserver à l'avance. Le steak-frites « Charles Schumann » est réputé. 🔕 *Odeonsplatz 6 et 7 • plan L3 • ouv. tous les soirs • www.schumanns.de*

2 Toshi-Bar
À côté du luxueux hôtel Vier Jahreszeiten, le célèbre L-Bar et son décor colonial ont laissé la place au style japonais du Toshi-Bar. L'accueillant salon dispose de confortables canapés. On y savoure les spécialités du restaurant attenant 🔕 *Wurzerstr. 18 • plan M4 • ouv. lun.-sam. le soir.*

3 Hong Kong Bar
Sirotez une boisson exotique, au comptoir, long de 40 m, tout en vous imprégnant de l'atmosphère. Les mets

Pusser's

d'inspiration asiatique dominent la carte du restaurant, apprécié pour les tête-à-tête romantiques. 🔕 *Kapuzinerstr. 39 • plan E6 • ouv. le soir.*

4 Julep's
Ici, briques et boiseries évoquent l'Amérique rustique. Les barmen maîtrisent quelque 200 recettes de cocktails, mais ne tiquent pas si l'on boit une bière directement à la bouteille debout au comptoir. Le restaurant sert des classiques d'outre-Atlantique, tex-mex notamment. 🔕 *Breisacher Str. 18 • plan H5 • ouv. le soir.*

5 Pusser's
Ce bar de style américain, l'un des plus anciens de Munich, propose, dans un décor maritime, des cocktails à base de rhum, ainsi qu'une riche sélection de whiskies, de la Guinness et de l'Ayinger *(p. 51)*. Le sous-sol abrite un piano-bar. 🔕 *Falkenturmstr. 9 (près de Platzl) • plan M4 • ouv. le soir • www.pussersbar.de*

6 Bar Centrale
La petite pièce de devant et les quelques tables sur le trottoir se prêtent surtout à la dégustation rapide d'un expresso. La décoration de la salle du fond rappelle les années 1960. La cuisine italienne et les cocktails sont excellents. Mieux vaut réserver avant de s'y rendre. 🔕 *Ledererstr. 23 • plan L4 • pas de carte bancaire • www.bar-centrale.com*

Beaucoup de bars restent ouverts jusqu'à 3 h, au moins.

Café Luitpold

Tambosi

Ce vieux café donne à ses clients l'impresssion qu'ils sont revenus au XIXᵉ s. Le service est assuré de 8 h jusqu'à presque 1 h. Le café, situé près de la Residenz, possède deux terrasses, l'une sur l'Odeonplatz, l'autre sous les tilleuls du Hofgarten. Le Tambosi accueille parfois de jeunes musiciens.
⊗ Odeonsplatz 18 • plan L3
• www.thementeam.de/neu/tambosi

Café Ruffini

C'est une institution à Munich ! Les petits déjeuners sont délicieux ; le pain est fabriqué sur place. La terrasse sur le toit accueille des tables très prisées. Des concerts ainsi que des lectures sont organisés en soirée. ⊗ Orffstr. 22 • plan D3 • ouv. mar.-dim.

Café Luitpold

Cet établissement historique est réputé pour ses pâtisseries. Attention ! La cuisine ferme à 19 h. ⊗ Brienner Str. 11 (Luitpoldblock) • plan L3 • ouv. lun.-sam. (également dim. en hiver) • www.cafe-luitpold.de

Café Frischhut

Les noctambules viennent ici pour se restaurer d'un *Schmalznudel* (beignet) dès 5 h du matin. ⊗ Prälat-Zistl-Str. 8 • plan L5 • ouv. t.l.j.

Bars et cafés accueillant des musiciens

Jazzbar Vogler
Un excellent club de jazz et de blues, ouvert du lundi au samedi. ⊗ Rumfordstr. 17 • plan L5.

Waldwirtschaft Großhesselohe
Ce restaurant possède un « JazzBiergarten ». ⊗ Pullach-Großhesselohe, Georg-Kalb-Str. 3 • (089) 74 99 40 30.

Café am Beethovenplatz
Musique classique ou jazz dans le plus vieux café de Munich. ⊗ Goethestr. 51 • plan E5.

The Big Easy
Ce restaurant-bar très animé propose des brunchs jazzy, en hiver. ⊗ Frundsbergstr. 46 • plan C3.

Night Club Bar
Ambiance feutrée dans ce bar en sous-sol de l'hôtel Bayerischer Hof, où l'on écoute du jazz (p. 59).

Podium
Des groupes de rock y jouent tous les soirs. ⊗ Wagnerstr. 1 (près de la Siegesstr.) • plan G2 .

Unterfahrt
Ce bar, installé sous l'Einstein Kulturzentrum, accueille de grands noms du jazz. ⊗ Einsteinstr. 42 • plan H5.

Atomic Café
DJ et groupes se produisent dans ce club (p. 58).

Kaffee Giesing
Les concerts commencent à 21 h dans cet établissement créé par Konstantin Wecker, un chanteur. ⊗ Bergstr. 5.

Hofbräuhaus
On y écoute de la musique bavaroise (p. 50).

Gauche **Deutsche Eiche** Centre **Bar du Club Morizz** Droite **Cybercafé Kr@ftAkt**

Gays et lesbiennes

Deutsche Eiche
Cet hôtel-restaurant, autrefois fréquenté par le réalisateur Rainer Fassbinder et ses amis, sert des spécialités bavaroises et internationales. À l'arrière du bâtiment, le sauna qui occupe quatre niveaux, renferme, entre autres, un bain turc et des salles de massage. ✆ *Reichenbachstr. 13 • plan L5 • (089) 23 11 66-0 • www.deutsche-eiche.de*

Club Morizz
Avec son décor à la fois insolite et élégant (splendide comptoir et fauteuils rouges), le Morizz est l'un des lieux de rendez-vous les plus chic de la ville, et pas seulement de la communauté gay. La cuisine, en partie inspirée de la gastronomie

Club Morizz

thaïlandaise, est excellente. Plusieurs soirs par semaine, un DJ est aux platines. ✆ *Klenzestr. 43 • plan L6 • (089) 201 67 76 • www.club-morizz.de*

Bar Iwan
L'été, la cour de ce bar sympathique ne désemplit pas. L'Iwan est réputé pour ses délicieux cocktails et son service bienveillant qui sait mettre à l'aise ses clients, hétéros ou homos. ✆ *Josephspitalstr. 15 • plan K4 • (089) 54 54 07 80 • ouv. mar.-sam. • www.iwans-bar.de.*

Bau
Le Bau pratique des prix modérés et s'affiche ouvertement comme le plus grand bar pour homos en jeans, en cuir, en uniforme et en latex de Munich. Les deux niveaux abritent des espaces très éclairés et des zones plus intimes. L'adresse attire indéniablement une clientèle de costauds... ✆ *Müllerstr. 41 • plan K6 • (089) 26 92 08 • www.bau-munich.de*

Café Glück
Autrefois lieu de rendez-vous de la communauté gay, le café Glück est maintenant fréquenté par une population mêlée. Son atmosphère détendue en fait un très bon endroit pour prendre un café, déguster une pâtisserie l'après-midi ou faire un excellent repas le soir. ✆ *Palmstr. 4 • plan F6 • (089) 201 16 73.*

Moro
Cet ancien bar miteux s'est métamorphosé en un pub branché à l'intérieur rustique. Sur la carte voisinent des mets asiatiques, méditerranéens et bavarois, qui séduisent une clientèle aux mœurs sexuelles différentes. ◈ *Müllerstr. 3*
• *plan L5* • *(089) 23 00 29 92*
• *www.moro-munich.com*

Kr@ftAkt
En été, le cybercafé, situé à la porte du quartier gay, au pied de la Sendlinger Tor, possède une agréable terrasse. Un public éclectique vient y déguster des cocktails et des plats simples, à midi. Le soir, la fréquentation change pour devenir nettement à prédominance homo.
◈ *Thalkirchner Str. 4* • *plan K5*
• *(089) 21 58 88 81* • *www.kraftakt.com*

Inges Karotte
Le plus vieux lieu de rendez-vous lesbien de Munich se transforme en discothèque le samedi soir. Il compte de nombreuses habituées mais réserve un bon accueil aux amis gays et hétéros.
◈ *Baaderstr. 13*
• *plan M5* • *(089) 201 06 69*
• *ouv. lun.-sam.*
• *www.inges-karotte.de*

Bei Carla
Peu connu des touristes étrangers, Bei Carla est considéré comme un célèbre café lesbien depuis de très nombreuses années. L'ambiance simple, décontractée et « rustique » attire une large population de 20 à 40 ans. En dépit de sa réputation établie de longue date de haut lieu lesbien,

Bau *(p. 62)*

les hommes y sont les bienvenus.
◈ *Buttermelcherstr. 9* • *plan F5* • *(089) 22 79 01* • *www.bei-carla.de*

C-Club
Un café occupe le rez-de-chaussée. Le dance club du sous-sol, à l'ambiance animée par les tubes des années 1980 et les succès du moment, accueille des spectacles de travestis les vendredis et samedis soirs.
◈ *Müllerstr. 1* • *plan L5* • *(089) 26 34 69*
• *www.togetherdanceclub.de*

La librairie gay de Munich, Max und Milian, se trouve au n° 2 Ickstattstr (089-2 60 33 20).

Gauche **Tantris** Centre **Entrée du Lenbach** Droite **Königshof**

🔟 Restaurants gastronomiques

1 Tantris

Le restaurant de Hans Haas compte parmi les meilleurs du monde. Le *Gault et Millau* lui a accordé un 19/20, la note la plus élevée jamais attribuée. Le service et les conseils de la sommelière, Paula Bosch, sont à la hauteur de la cuisine. ◎ *Johann-Fichte-Str. 7 • plan G1-G2 • (089) 36 19 59-0 • ouv. mar.-sam. 12h-15h et 18h30-1h • www.tantris.de • €€€€€.*

2 Königshof

L'élégant restaurant, situé au 2e étage du Königshof, se distingue par la qualité de ses mets et sa fantastique sélection de vins (plus de 800). ◎ *Karlsplatz 25 • plan J4 • (089) 55 13 60 • ouv. mar.-sam. • www.koenigshof-muenchen.de • €€€€€.*

3 Ederer

Le chef, Karl Ederer, n'utilise que des ingrédients biologiques. Les vastes salles d'une ancienne banque dans la galerie d'arcades Fünf Höfe offrent un cadre lumineux où déguster ses créations. On peut néanmoins leur préférer une terrasse en été.

Passerelle du défilé de mode du Lenbach

◎ *Kardinal-Faulhaber-Str. 10 • plan L4 • (089) 24 23 13 10 • ouv. lun.-sam. • €€€€-€€€€€.*

4 Lenbach

Le Lenbach, ouvert en 1997, est installé dans le palais Bernheimer de la Lenbachplatz. Pour réaménager ce dernier, le designer britannique Sir Terence Conran a pris pour fil conducteur les sept péchés capitaux. Une passerelle de défilé de mode court au milieu de la salle à manger pour symboliser la vanité. Le restaurant, plusieurs fois primé, sert une cuisine gastronomique, appréciée des VIP comme Mick Jagger. ◎ *Ottostr. 6 • plan K3 • (089) 54 91 30-0 • ouv. lun.-sam. • www.lenbach.de • €€€€-€€€€€.*

5 Vinaiolo

Le Vinaiolo de Haidhausen évoque une herboristerie et tient à la fois de l'*osteria,* du bistro et de la vinothèque. Il sert une cuisine italienne inspirée. Négociant en vins, le patron en propose une sélection à prix raisonnables. ◎ *Steinstr. 42 • plan P6 • (089) 48 95 03 56 • ouv. lun.-ven. 12h-15h et 18h30-1h (sam.-lun. 18h30-1h) • www.vinaiolo.de • €€€-€€€€.*

6 Landersdorfer und Innerhofer

Hans Landersdorfer adapte avec imagination des spécialités, qui enchanteront les palais les plus exigeants. Son pain de pommes de terre servi avec

Beaucoup de restaurants haut de gamme proposent des menus plus accessibles à midi. Catégories de prix **p. 85.**

Geisel's Vinothek de l'hôtel Excelsior

des amuse-gueules mérite amplement sa réputation. Robert Innerhofer est chargé de la cave. ✪ *Hackenstr. 6-8 • plan K5 • (089) 26 01 86 37 • ouv. lun.-sam. • €€€-€€€€.*

Kleinschmidtz
Les délicieux menus de saison de ce bistro accueillant du quartier de Glockenbach sortent de l'ordinaire et se révèlent toujours délicieux. ✪ *Fraunhoferstr. 13 • plan L6 • (089) 260 85 18 • ouv. t.l.j. 18h-1h • €€€.*

Geisel's Vinothek
À l'hôtel Excelsior, vous aurez le choix entre 400 vins pour accompagner des spécialités raffinées. ✪ *Schützenstr. 11 • plan J4 • (089) 55 13 71 40 • ouv. t.l.j. midi-1h (sam. à partir de 17h) • €€€.*

Südtiroler Stuben
Le temple de la gastronomie bavaroise du célèbre chef Alfred Schubeck sert une cuisine des Alpes raffinée. ✪ *Platz 8 • plan M4 • (089) 216 69 00 • ouv. lun. 18h-23h, mar.-sam. 12h-14h30 et 18h-23h • €€€€€.*

Rue des Halles
Ici, le décor ne paye pas de mine, mais la cuisine, française, est délicieuse. La mousse au chocolat est divine ! ✪ *Steinstr. 18 • plan P5 • (089) 48 56 75 • ouv. 18h-1h • €€€.*

Petits déjeuners tardifs et brunchs

Kaffee Giesing
Des musiciens y jouent le dimanche, pour le brunch. ✪ *Bergstr. 5 • (089) 692 05 79.*

Ruffini
Petits déjeuners servis jusqu'à 16 h le week-end. ✪ *Orffstr. 22 • plan D3 • (089) 16 11 60.*

Vorstadt-Café
Un café, près de l'université, servant des petits déjeuners jusqu'à 16 h. ✪ *Türkenstr. 83 • plan L1 • (089) 44 43 92 50.*

Café im Volksbad
Petit déjeuner jusqu'à 17 h dans ce café Art nouveau du Müllersche Volksbad. Terrasse. ✪ *Rosenheimer Str. 1 • plan N5 • (089) 48 22 22.*

Café Voilà
Pour savourer un superbe petit déjeuner. ✪ *Worthstr. 5 • plan P5 • (089) 489 16 54.*

Café Neuhausen
Riche choix de petits déjeuners jusqu'à 16 h. ✪ *Blutenburgstr. 106 • plan D3 • (089) 18 97 55 70.*

Café Altschwabing
Petit déjeuner servi jusqu'à 17 h. ✪ *Schellingstr. 56 • plan L2 • (089) 273 10 22.*

Aroma-Kaffeebar
Petit déjeuner en buffet, cafés sélectionnés et gâteaux maison. ✪ *Pestalozzistr. 24 • plan K6 • (089) 26 94 92 49.*

Café am Beethovenplatz
Du jazz accompagne le brunch du dimanche. ✪ *Goethestr. 51 • plan E5 • (089) 552 91 00.*

Rothmund
Grand choix jusqu'à 15 h. Brunchs à thème le dimanche. Tables à l'extérieur. ✪ *Rothmundstr. 5 • plan J6 • (089) 53 50 15.*

Restaurants bon marché quartier par quartier p. 50-51, 85, 103 et 111.

Gauche **Fünf Höfe** Centre et droite **Boutiques sur la Maximilianstraße**

Faire des achats

1 Zone piétonnière

Dans le centre de Munich, le quartier réservé aux piétons s'étend le long de la Kaufingerstraße et de la Neuhauser Straße jusqu'à la Karlsplatz (Stachus). Il renferme plusieurs grands magasins et les antennes de grandes chaînes européennes. C'est ici qu'est réalisé le chiffre d'affaires moyen à la minute le plus élevé d'Allemagne. On trouve d'autres commerces au-delà de Stachus, dans la Sonnenstraße, la Schützenstraße et l'Eisenhof de la gare principale. ✪ *Plan K4-L4.*

2 Theatinerstraße

Depuis l'ouverture des galeries des Fünf Höfe *(ci-contre)*, la rue la plus élégante de la ville a encore vu augmenter le nombre de ses boutiques de luxe. ✪ *Plan L4.*

Zone piétonnière

3 Fünf Höfe

Conçu par les architectes Herzog et de Meuron, cet exemple primé de réhabilitation réussie couvre la zone délimitée par la Theatinerstraße, la Kardinal-Faulhaberstraße, la Maffeistraße et la Salvatorstraße. Ses bâtiments historiques, ses cours et ses galeries renferment des boutiques (Muji, Marc O'Polo), une salle d'exposition (Kunsthalle der Hypo-Kulturstiftung) et des établissements de restauration haut de gamme (Ederer, Barista, Café Kunsthalle). ✪ *Plan L4.*

4 Odeonsplatz et Brienner Straße

Outre des magasins chic, vous trouverez sur cette place et l'avenue qui en part le Luitpoldblock, où le célèbre café Luitpold *(p. 61)* ouvrit en 1888. Rénové en 1989, le bâtiment est un temple du shopping de luxe. ✪ *Plan L3.*

5 Maximilianstraße

Ce boulevard, percé par Maximilien II au milieu du XIXe siècle, s'étend du Nationaltheater à l'Altstadtring. Les grands noms de la mode internationale, tels Bulgari, Armani et Chanel, ont ouvert des antennes dans ses galeries, aux arches en ogive dessinées par Friedrich Bürklein. Le boulevard est bordé par l'hôtel Vier Jahreszeiten, les Kammerspiele, et les Maximilianhöfe. ✪ *Plan M4.*

Shopping quartier par quartier **p. 83, 91, 101 et 109.**

Maximilianhöfe

Le complexe des Maximilianhöfe incorpore un immeuble de Friedrich Bürklein (1813-1872) et abrite des bureaux, les succursales d'enseignes telles que Gianfranco Ferré et Dolce e Gabbana, ainsi que le nouveau lieu de répétition de l'Opéra national. Au centre, le restaurant Brenner s'est installé sous les arcades des anciennes écuries du manège royal. ◈ *Plan M4.*

Dans les Maximilianhöfe

Sendlinger Straße

Le luxe gagne du terrain dans cette rue commerçante parmi les plus anciennes de la cité, qui conserve toutefois quelques magasins traditionnels et une diversité rafraîchissante. ◈ *Plan K5.*

Autour du Viktualienmarkt

Les environs du plus vieux marché de Munich regorgent de commerces spécialisés. Au sud, ils bordent la Gärtnerplatz et les rues avoisinantes, tandis qu'à l'est les voies étroites menant à l'Isartor abritent de petits antiquaires et le principal libre-service de produits biologiques de la ville. À l'ouest, en direction du Rindermarkt, une galerie marchande enserre la Löwenturm, élevée au Moyen Âge. ◈ *Plan L5.*

Autour de l'université

Entre l'Amalienstraße, la Türkenstraße et l'Adalbertstraße, le quartier étudiant recèle d'excellentes librairies et des commerces de tous types, notamment des bijouteries excentriques et des magasins de prêt-à-porter et de design. ◈ *Plan L1-L2.*

Leopoldstraße et rues transversales

Magasins, restaurants et cafés bordent l'axe principal de Schwabing, à partir de la Giselastraße. Les soirs d'été, c'est un lieu de promenade très apprécié des Munichois. On trouve plusieurs boutiques intéressantes dans les rues transversales, à gauche du boulevard lorsqu'on se dirige vers le nord, notamment la Hohenzollernstraße. ◈ *Plan F2-G2.*

 Sites Internet des Fünf Höfe et des Maximilianhöfe : www.fuenfhoefe.de et www.maximilianhoefe.de

Gauche **Rhinocéros, Tierpark Hellabrunn** Centre **Logo du Zirkus Krone** Droite **Glentleiten**

🔟 Avec les enfants

1 Olympiapark
Beach-volley, basket-ball, canotage, natation, ski en toute saison et escalade du toit du printemps à l'automne : le plus grand complexe sportif de la capitale bavaroise *(p.18-19)* propose un choix d'activités suffisamment large pour occuper une journée entière le plus tonique des petits démons.

2 Deutsches Museum
Des classiques blocs de construction aux véritables avions à réaction, le plus grand musée du monde dédié aux sciences et aux technologies renferme de nombreux objets qui fascineront les enfants les plus grands. Le Kinderreich permettra aux plus jeunes de s'initier concrètement aux joies de la physique. Tous apprécieront la collection *Technisches Spielzeug* (jouets techniques) et le *Planetenweg*, une « promenade » en plein air, du Soleil à Pluton *(p. 8-11)*.

3 Tierpark Hellabrunn
Le Parc zoologique municipal compte, parmi ses fleurons, une savane sous chapiteau peuplée de félins et un pavillon vitré où vivent gorilles et chimpanzés. Au Kinderzoo, les enfants peuvent caresser des poneys, des moutons et des chèvres, et leur donner à manger (distributeurs d'aliments adaptés). 🔊 *Tierparkstr. 30 • plan E6 • ouv. : été 8h-18h ; hiver 9h-17h • EP • www.zoo-muenchen.de*

4 Théâtre de Marionnettes
Le plus vieux théâtre de Marionnettes de Munich, installé dans un petit bâtiment néoclassique, existe depuis 1858. Il n'a rien perdu de sa popularité. 🔊 *Blumenstr. 32 • plan K5 • (089) 26 57 12 • EP • www. muenchner-marionettentheater.de*

5 Bavaria Filmstadt
Les studios de cinéma et de télévision de Geiselgasteig, toujours en activité, proposent

des visites guidées rythmées par des cascades et la projection d'un film en 3D sur des sièges bougeant au gré de l'action. Les spectateurs doivent mesurer au moins 120 cm. 🔊 *Geiselgasteig, Bavariafilmplatz 7 • (089) 64 99 23 04 • ouv. mars-oct. : t.l.j. 9h-16h ; nov.-fév. : t.l.j. 10h-15h • www.filmstadt.de*

Falcor, le dragon de *L'Histoire sans fin*, Bavaria Filmstadt

➡ *Le Munich des enfants a un site Internet :* **www.muenchen.kinder-stadt.de**

LEGOLAND Deutschland

Cirkus Krone

6 Pour ses quartiers d'hiver, l'un des plus grands cirques traditionnels d'Europe s'installe à Munich pendant trois mois.
🕲 *Zirkus-Krone-Str. 1-6 • plan D4* • *(089) 545 80 00 • ouv. 25 déc.-31 mars mar.-dim.* • *EP* • *www.cirkus-krone.de*

Märchenwald im Isartal

7 Le parc de loisirs de la « Forêt féérique » renferme des attractions telles qu'un manège de boutons de fleurs et des balançoires en forme d'étoiles filantes. 🕲 *Wolfratshausen, Kräuterstr. 39 • (0 8171) 187 60* • *EP* • *www.maerchenwald-isartal.de*

Freilichtmuseum Glentleiten

8 Ce musée en plein air réunit 40 bâtiments agricoles bavarois et propose des démonstrations d'artisanat ancien. En guise de guide, les enfants reçoivent un livre de coloriage *(p.123)*.

Sea Life

9 Les hippocampes et le tunnel en verre dans l'aquarium sont les attractions de Sea Life *(p. 18-19)* qui séduisent le plus les enfants.

LEGOLAND Deutschland

10 Ce parc renferme 40 attractions et des sculptures fabriquées avec plus de 50 millions de blocs Lego.
🕲 *Günzburg, Legoland-Allee 1 • (018 05) 70 07 57 01 • EP • www.legoland.de*

Cafés et restaurants

1 Villa Flora

Brunch du dimanche à moitié prix pour les 5-10 ans. Les moins de 5 ans ne paient pas. 🕲 *Hansastr. 44 • plan C5.*

2 Seehaus

Un café et jardin à bière sur les rives du Kleinhesseloher See. 🕲 *Englischer Garten • plan G2.*

3 Café Janosch

Parfait pour les parents avec des enfants jusqu'à 6 ans. 🕲 *Fürstenriederstr. 16 • plan C4.*

4 Biergarten am Chinesischen

Un jardin à bière bordé d'espaces verts et d'aires de jeu. 🕲 *Englischer Garten • plan G3.*

5 Zum Aumeister

Un jardin à bière traditionnel et un restaurant avec une aire de jeux. 🕲 *Englischer Garten, Sondermeierstr. 1 • plan G3.*

6 Waldwirtschaft

Balançoires, toboggans et minigolf combleront les jeunes visiteurs. 🕲 *Pullach Großhesselohe, Georg-Kalb-Str. 3.*

7 Forsthaus Wörnbrunn

Ici, le menu est inscrit sur une carte à colorier, que les enfants peuvent emporter. 🕲 *Grünwald, Wörnbrunn 1.*

8 Hofbräukeller

Le baby-sitting y est gratuit toute la journée. 🕲 *Innere Wiener Str. 19 • plan P5.*

9 Mangostin Asia

Aire de jeu surveillée et, le dimanche, buffet familial bon marché. 🕲 *Maria-Einsiedel-Str. 2 • (089) 723 20 31.*

10 Hirschau

Cette aire de jeu borde le jardin à bière. 🕲 *Englischer Garten, Gyßlingstr. 15 • plan H2.*

De plus en plus de restaurants proposent aux familles des menus enfants, des sièges surélevés et même un service de garde.

Gauche **Petite pause sur l'herbe** Droite **Parc du Schloss Nymphenburg**

🔟 Promenades à pied et à vélo

1 À pied à travers l'Englischer Garten

Depuis la Haus der Kunst *(p. 37)*, dirigez-vous au nord pour traverser la partie du « Jardin anglais », paysagée il y a 200 ans. Au Kleinhesseloher See, une passerelle franchit la route qui sépare cette partie de celle plus récente, qui abrite le jardin à bière Zum Aumeister *(p. 69)*. ◈ *1h30-2h • Zum Aumeister, Sondermeierstr. 1 • (089) 32 52 24.*

2 À pied le long de l'Isar

En partant du Deutsches Museum *(p. 8-11)*, remontez vers le sud le cours de la rivière, sur sa rive droite. À mi-chemin se trouve la roseraie *(p. 39)*, qui mérite un court détour. La promenade conduit jusqu'à Thalkirchen, où vous pourrez visiter le Tierpark Hellabrunn *(p. 107)* et vous restaurer au Mangostin Asia. ◈ *1h30-2h • Mangostin Asia, Maria-Einsiedel-Str. 2 • (089) 723 20 31.*

3 À pied dans le Westpark

Partez de la pointe orientale du parc, à l'angle de la Hansastraße et de la Baumgartnerstraße. Promenez-vous vers l'ouest jusqu'à atteindre la passerelle, au-dessus de la Garmischer Straße. De l'autre côté, le Westpark abrite des jardins et des bâtiments asiatiques. Un agréable restaurant et son *Biergarten* donnent sur une roseraie. ◈ *1h-1h30 • Gasthaus am Rosengarten, Westendstr. 305 • (089) 57 86 93 00.*

4 À pied à travers le Nymphenburg Park

Avant de vous éloigner du Schloss Nymphenburg *(p.12-13)*, prenez le temps de bien vous repérer, grâce à l'un des plans affichés près de l'entrée. Les pavillons offrent les jalons d'un agréable circuit, passant par la Pagodenburg, la cascade, le temple d'Apollon, la Badenburg, et l'Amalienburg. En revenant au château, concluez votre sortie par une visite du musée Mensch und Natur ou du Jardin botanique. ◈ *1h-1h30 • Schlosscafé im Palmenhaus, entrée 43 • (089) 17 53 09.*

5 À pied sur l'Ilkahöhe

Au sortir de la station de S-Bahn (S6) de Tutzing, des triangles blancs indiquent le chemin à suivre pour rejoindre le sommet de l'Ilkahöhe. Un splendide panorama récompense l'ascension, entre autres, par un sentier forestier d'un dénivelé d'environ 150 m. ◈ *1h30-2h • Forsthaus Ilkahöhe, Tutzing • (08 158) 82 42.*

Vue depuis l'Ilkahöhe

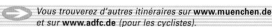

Vous trouverez d'autres itinéraires sur www.muenchen.de et sur www.adfc.de (pour les cyclistes).

À vélo jusqu'à Freising
6 Depuis le *Biergarten* Zum Aumeister, dans l'Englischer Garten, suivez la piste cyclable de l'Isar jusqu'à Freising, à environ 40 km, où un pont franchit la rivière. Tournez à gauche vers Weihenstephan. Cet ancien monastère abrite la plus vieille brasserie en activité. Elle est à 2 km de la gare, d'où vous pourrez regagner Munich en S-Bahn (S1). ◐ *2h30-3h • Bräustüberl Weihenstephan • (08161) 130 04.*

Brasserie de Weihenstephan, Freising

À vélo jusqu'au Schloss Schleißheim
7 À 200 m à droite de la station de U-Bahn de Milbertshofen, prenez au nord la piste cyclable qui part d'un petit parc. Celle-ci est aménagée, pour partie, sur une ancienne voie de tramway. Roulez jusqu'à Oberschleißheim, où vous pourrez visiter le Flugwerft Schleißheim et le Neues Schloß. Continuez le long du canal jusqu'à Garching-Hochbrück, puis rentrez en U-Bahn (U6). ◐ *2h-2h30 • Schlosswirtschaft Oberschleißheim, Maximilianhof 2 • (089) 315 15 55.*

Masque, Schloss Schleißheim

À vélo, de l'Olympiapark au Schloss Blutenburg
8 Depuis le parc olympique *(p. 18-19)*, longez le canal du Nymphenburg jusqu'au château, puis suivez, à l'ouest, le mur du parc – interdit aux cyclistes – jusqu'à atteindre un passage souterrain. Le reste du trajet (piste cyclable) est signalé. La bibliothèque internationale pour la Jeunesse occupe le Schloss Blutenburg depuis 1983. ◐ *1h30-2h • Schlossschänke Blutenburg • (089) 811 98 08.*

À vélo le long de l'Isar jusqu'au monastère de Schäftlarn
9 Depuis le Deutsches Museum *(p. 8-11)*, suivez la piste cyclable de l'Isar vers le sud. Faites une pause à Grünwald pour visiter la forteresse, puis poursuivez jusqu'au monastère de Schäftlarn. Petit avertissement : le trajet comprend des côtes et plusieurs passages cahoteux en forêt. Pour retourner à Munich, prenez le S-Bahn (S7) à la gare de Hohenschäftlarn, à 3 km du monastère. ◐ *2h-2h30 • Klosterbräustüberl Schäftlarn • Ebenhausen • (08178) 36 94.*

À vélo le long de la Würm jusqu'au Starnberger See
10 Depuis la station de S-Bahn de Pasing, il faut emprunter des rues très fréquentées pour rejoindre la piste cyclable, clairement signalée, de la Würm. Suivez la rivière, au sud. Le château de Leutstetten possède un restaurant et un jardin à bière. Vous longerez un golf avant d'atteindre Starnberg, où vous pourrez prendre le S-Bahn (S6) pour rentrer. ◐ *2h-2h30 • Undosa Seerestaurant, Starnberg • (08151) 99 89 30.*

Moyennant supplément, sauf en semaine entre 6 h et 9 h et 16 h et 18 h, on peut prendre le S-Bahn et le U-Bahn avec son vélo.

Gauche **L'Allianz-Arena** Droite **Munich, une ville où le vélo a sa place**

🔟 Sports et remise en forme

1 Randonnée
De nombreux sentiers se prêtent à des promenades aisées dans et autour de Munich *(p. 70)*. Les Alpes voisines offrent des défis plus sportifs. Pour vous renseigner sur les itinéraires, contactez le Deutscher Alpenverein (Club alpin allemand). 🔗 *www.alpenverein.de* • *(089) 14 00 30.*

2 Patinage en ligne
L'Englischer Garten et les allées signalisées de l'Olympiapark *(p. 18-19)* sont deux hauts lieux du roller à Munich. De mai à septembre, le lundi soir, quand le temps le permet, les Blade Nights *(p. 46)* réunissent des milliers d'adeptes du patin sur des parcours urbains.
🔗 *www.muenchner-blade-night.de*

3 Jogging
Presque partout dans la ville, les coureurs disposent de petits ou grands parcs *(p. 38-39)*. L'Englischer Garten et les rives de l'Isar recèlent les plus beaux sentiers. Si vous n'aimez pas courir seul, l'association des Road Runners vous mettra en contact avec un groupe de joggeurs de votre niveau. 🔗 *www.mrrc.de*

4 Cyclisme
Doté de l'un des meilleurs réseaux de pistes cyclables d'Europe, Munich renferme plusieurs poumons verts où profiter des joies de la petite reine, loin du bruit et des gaz d'échappement de la circulation automobile *(p. 71)*. La Fédération cycliste allemande (ADFC) est une mine d'informations.
🔗 *www.adfc-bayern.de* • *(089) 55 35 75.*

5 Escalade
Avant de vous attaquer aux parois des Alpes bavaroises, vous pourrez vous entraîner, en vous adressant au Club d'escalade de Munich. Celui-ci possède une salle somptueusement équipée : la Heaven's Gate.
🔗 *http://klettern-muenchen.de*

6 Golf
Ce sport jadis réservé à l'élite est de plus en plus populaire en Allemagne. Il existe plus de 40 terrains de golf, de 6 à 18 trous, aux alentours de Munich. 🔗 *www.golf-eschenried.de*

Allianz-Arena

Les architectes Herzog et de Meuron ont dessiné le stade de 66 000 places construit en 2005 à Fröttmaning, dans le nord de la ville, pour les deux équipes de football de Munich. Chaque club peut utiliser l'éclairage pour teinter la façade translucide (en rouge ou en bleu) et a accès à un restaurant de 1 500 places. Les spectateurs disposent aussi d'un restaurant familial, d'une cafétéria et de kiosques de restauration. L'Allianz-Arena est accessible en métro par la ligne U6.

L'Allianz-Arena possède un site Internet : **www.allianz-arena.de**

Golf près de Feldafing, sur le lac Starnberg

Beach-volley
Par tous les temps grâce à plusieurs lieux couverts, de nombreux enthousiastes peuvent s'adonner aux plaisirs du volley-ball de plage.
（089) 29 16 17 19
• www.citysports.de/beachvolleyball_muenchen.htm

Sports nautiques
De nombreux plans d'eau, en ville et dans les environs, permettent la pratique du canotage, de la voile et du canoë. Munich compte 17 piscines publiques. La Haute-Bavière recèle d'innombrables lacs. www.swm.de

Sports d'hiver
La capitale bavaroise renferme plusieurs patinoires et même une piste de ski artificielle, à l'Olympiapark (p. 18-19). La station de Garmisch-Partenkirchen se trouve à moins de 100 km du centre. www.muenchen.de

Remise en forme
L'Olympiapark abrite le plus important des nombreux centres de remise en forme et de balnéothérapie. Le bain turc du Mathilden-Bad connaît un grand succès. www.hamam.de
• www.olympiapark-muenchen.de

Événements sportifs

1 Tournée des quatre tremplins
Une compétition de saut à ski ouvre l'année à Oberstdorf, Garmisch-Partenkirchen, Innsbruck et Bischofshofen. www.vierschanzen.org

2 6-Tage Rennen
L'Olympiahalle accueille, à la mi-novembre, les Six Jours cyclistes de Munich. www.olympiapark-muenchen.de

3 FC Bayern München
Le célèbre club de football s'efforce de garder une longueur d'avance sur les « Lions ». (089) 699310
• www.fcbayern.de

4 TSV München 1860
Les « Lions » doivent leur surnom à leurs supporters. (089) 64 27 85 100
• www.tsv1860.de

5 BMW International Open
Ce tournoi de golf se déroule en juin. (08123) 930 80
• www.gceichenried.de

6 Coupe du monde de snowboard
En hiver, sur les collines de l'Olympiapark. www.olympiapark-muenchen.de

7 BMW-Open
MTTC Iphitos e.V. organise ce tournoi de tennis au printemps. (089) 322 09 03 • www.iphitos.de

8 Marathon de Munich
En octobre, au départ de l'Olympiapark. www.muenchenmarathon.de

9 Courses hippiques
L'hippodrome de Daglfing en propose plusieurs par mois. www.daglfing.de

10 Jeux olympiques
Si Munich remporte les Jeux de 2018, ce sera la première ville à avoir accueilli les Jeux d'été et d'hiver.

 En hiver, les Munichois viennent patiner et jouer au curling sur le canal du Schloss Nymphenburg.

Gauche **Fête-Dieu** Centre **Érection d'un mât de mai** Droite **Leonhardifahrt, Bad Tölz**

Traditions de Munich et de sa région

1 Schäfflertanz
Tous les sept ans, la Danse des tonneliers commémore la fin de l'épidémie de peste de 1500. La prochaine aura lieu en 2012.
◈ *Munich, pendant le Carnaval.*

2 Tanz der Marktfrauen
Les commerçantes du Viktualienmarkt dansent dans leurs plus beaux atours.
◈ *Munich, Mardi gras.*

Décor de mât

3 Saison de la Starkbier
Comme les « liquides ne comptaient pas pendant le carême », les moines brassaient une bière plus forte et plus épaisse en cette période de jeûne. Des mises en perce, dont celle du premier fût de Salvator au Nockherberg (p. 50), lancent la 5e saison bavaroise.
◈ *Bavière, 19 mars-Pâques.*

4 Mâts de mai
Le 1er mai, villes et villages dressent un mât décoré, héritier de l'arbre de vie, censé apporter la prospérité au Moyen Âge. De jeunes gens montent la garde la nuit. La rançon pour un mât dérobé s'élève à de nombreux fûts de bière. ◈ *Bavière, 1er mai.*

5 Fête-Dieu
Soixante jours après Pâques, des croyants défilent en procession dans toute la Bavière pour commémorer l'institution du sacrement de l'Eucharistie.
◈ *Jeudi suivant le dimanche de la Trinité.*

6 Kocherlball
Chaque année, pour le « Bal des cuisiniers », des milliers de personnes en costumes folkloriques se

Attelage décoré pour la Leonhardifahrt, Bad Tölz

Le Carnaval donne lieu à des descentes à ski costumées dans les stations alpines. La plus connue est celle de Firstalm.

Costumes traditionnels, Bad Tölz

retrouvent, dès l'aube, au pied de la Chinesischer Turm pour danser la valse et la polka. Des domestiques sont à l'origine de la coutume. ◈ *Munich, Englischer Garten, juil.*

Leonhardifahrt
Bad Tölz, Schliersee et Murnau, entre autres, célèbrent saint Léonard, protecteur des chevaux, par des défilés d'attelages. ◈ *Haute-Bavière, 1er dim. de nov.*

Christkindlmärkte
Les marchés de Noël, dont celui de la Marienplatz, à Munich, entretiennent une tradition qui remonte au Moyen Âge. ◈ *Bavière, de l'Avent au 24 déc.*

Alphorn, jodeln et Schuhplattler
Comme le *jodeln*, qui a évolué pour se transformer en une forme de chant, l'*Alphorn* était autrefois pour les vachers un moyen de communication sur de longues distances. Avec le *Schuhplattler,* une danse rythmée par les battements des semelles sur le sol, ils animent toutes les fêtes folkloriques.

Costumes régionaux
Dans toutes les célébrations, dont l'Oktoberfest, des associations paradent fièrement en costumes traditionnels.

Jours fériés et célébrations

Réveillon du Nouvel An
Un grand feu d'artifice salue la nouvelle année.

Épiphanie
Pendant la première semaine de janvier, des enfants déguisés en Rois mages collectent de l'argent pour des œuvres charitables.

Mercredi des Cendres
À la fin du Carnaval *(Fasching)* commence la période de la bière Bock.

Pâques
Des centaines d'enfants cherchent des œufs au Tierpark Hellabrunn.

1er Mai
L'érection des mâts de mai coïncide avec la fête du Travail.

Fête-Dieu
L'une des dates les plus importantes du calendrier catholique bavarois donne lieu à une grande procession à Munich.

Kirchweih
Le troisième dimanche d'octobre, la fête d'action de grâce appelée « Consécration de l'église » marque souvent le début de l'Auer Herbstdult *(p. 52)* et de l'*Almabtrieb,* le retour des troupeaux qui ont passé l'été en alpage.

Toussaint
La fête de tous les saints, le 1er novembre, précède le jours des Morts, où les familles fleurissent les tombes.

Saint-Martin
Portant des lanternes, des enfants défilent en procession derrière un cavalier.

Noël
Les marchés de Noël commencent le premier jour de l'Avent. La messe de minuit est très fréquentée.

Le curling et l'épreuve de force appelée **Fingerhakeln** *(« lutte des doigts ») comptent parmi les sports traditionnels bavarois.*

VISITER
MUNICH

TOP 10 MUNICH

Gauche **Brunnenhof de la Residenz** Centre **Altes Rathaus** Droite **Poste centrale, Maximilianstraße**

Vieille ville

L e cœur de la capitale bavaroise reste la cité enclose au Moyen Âge dans une enceinte fortifiée, dont subsistent trois portes : la Karlstor, l'Isartor et la Sendlinger Tor. Avec l'Odeonsplatz, où se dressait jadis la Schwabinger Tor, celles-ci délimitent la zone commerçante la plus animée de Munich.

En son centre, la Marienplatz, dominée par l'hôtel de ville, reste le pôle d'où rayonnent les transports publics. Entouré d'espaces verts, parfois très vastes, comme l'Englischer Garten et les rives de l'Isar, le quartier ancien a conservé de nombreux édifices historiques, dont la vaste Residenz, d'où régnèrent les Wittelsbach.

Carillon, Neues Rathaus

🔟 À ne pas manquer

1 Marienplatz, Neues Rathaus et Altes Rathaus

2 Frauenkirche

3 Alter Hof

4 Alte Münze

5 Maximilianstraße

6 Hofbräuhaus et Platzl

7 Sankt-Jakobs-Platz et Stadtmuseum

8 Sendlinger Straße et Sendlinger Tor

9 Residenz et Hofgarten

10 Odeonsplatz, Theatinerkirche et Feldherrnhalle

Pages précédentes **Marienplatz.**

1 Marienplatz, Neues Rathaus et Altes Rathaus

À l'est de la place Sainte-Marie ornée de la Mariensäule, la colonne de la Vierge, s'élève l'ancien hôtel de ville bâti au XVe s. Son successeur, le Neues Rathaus (1867-1908), à la façade néogothique longue de 100 m est beaucoup plus imposant. Sa tour de l'horloge possède un beau carillon (p. 26-27).

Statue de la Vierge, Mariensäule

2 Frauenkirche

Depuis la Marienplatz, la Weinstraße, zone piétonnière, conduit à la cathédrale Notre-Dame, de style gothique tardif, bâtie entre 1468 et 1488. Les tours reçurent leurs dômes en bulbe, surnommés les « bonnets suisses », en 1525. Ses plus belles œuvres d'art comprennent le tombeau de Louis IV, les bustes en bois des stalles du chœur, sculptés par Erasmus Grasser vers 1500, et une statue de saint Christophe (p. 27).

3 Alter Hof

Bâtie à l'intérieur des murs au nord-est de la Marienplatz, entre 1253 et 1255, l'ancienne résidence des Wittelsbach (jusqu'en 1474) a conservé, sur l'aile ouest, un portail d'entrée orné des armoiries de la dynastie. La tour de l'aile sud porte le nom d'Affenturm, « tour du Singe ». Selon la légende, un singe de la Cour grimpa à son sommet en emportant

Affenturm, Alter Hof

le jeune Louis IV. Il conclut l'escapade en ramenant à terre le futur empereur germanique, sain et sauf. ● Burgstr. 4 • plan L4 • ouv. lun.-ven. 10h-18h (sam. 13h).

4 Alte Münze

« L'Ancienne Monnaie » aussi appelée Münzhof, au nord-est de l'Alter Hof, date de 1567. Elle entoure une cour Renaissance, dominée par trois niveaux de galeries. À l'origine, elle abritait les écuries et les équipages royaux, ainsi que la bibliothèque et le trésor d'Albert V. Elle devint l'hôtel de la Monnaie de l'État de Bavière au XIXe s. On y frappait encore des pièces en 1983. ● Hofgraben 4 • plan L4-M4 • cour ouv. toute l'année.

Cour Renaissance de l'Alte Münze

5 Maximilianstraße

Maximilien II fit percer ce boulevard entre 1852 et 1855. La portion qui s'étend entre la Max-Joseph-Platz et l'Alstadtring (p. 66-67) compte parmi les voies commerçantes les plus chic d'Europe. Elle renferme, notamment, l'hôtel de luxe Vier Jahreszeiten et le théâtre des Kammerspiele, ainsi que la galerie marchande des Maximilianhöfe (p. 67). Au bout de la Maximilianstraße s'élève le Maximilianeum, siège du Parlement bavarois. ● Plan M4.

Quelque 20 000 personnes par heure passent par la Marienplatz et la zone piétonnière.

Hofbräuhaus

Hofbräuhaus et Platzl

6 La plus célèbre taverne de Munich date de 1896. Elle a pour origine la brasserie de la Cour fondée en 1589 par Guillaume V. Le rez-de-chaussée peut accueillir 1 000 clients, adeptes, pour la plupart, de la Hofbräu dont il est servi 10 000 l par jour. À l'étage, des voûtes en arêtes soutiennent le plafond de la salle de banque. L'établissement possède aussi un petit jardin à bière. Une promenade dans les ruelles des alentours, dont la Burgstraße, permet de découvrir un des quartiers les plus anciens de la ville. ❧ Am Platzl 9 • plan M4 • (089) 22 16 76 • www.hofbraeuhaus.de

Sankt-Jakobs-Platz et Stadtmuseum

7 Depuis 2006, la place Saint-Jacques accueille le Centre juif qui comprend la synagogue Ohel-Jakob (p. 41), le Jüdisches Museum (p. 37) et un centre communautaire. Sur la place, six bâtiments sont occupés par le Stadtmuseum, dont un arsenal (Zeughaus) et des écuries royales (Marstall). Le musée de la Ville est divisé en plusieurs grands départements. Sa cinémathèque est réputée pour ses restaurations de films muets (p. 36 et 54). L'Ignaz-Günther-Haus, qui borde le côté ouest de la place, date de la fin du gothique. ❧ St.-Jakobs-Platz 1 et 15 • plan L5 • www.juedisches-zentrumjakobsplatz.de et www.stadtmuseum-online.de

Sendlinger Straße et Sendlinger Tor

8 Pendant longtemps, l'une des plus vieilles rues commerçantes de Munich n'a abrité que des magasins, transmis de génération en génération au sein des mêmes familles. Au cours de ces dernières années, elle est devenue plus chic… et plus chère. Ne manquez pas les deux joyaux rococos du quartier, l'Asamkirche (p. 27 et 40) et l'Asamhaus (au 34 de la Sendlinger Straße). L'ancienne demeure d'Egid Quirin Asam (p. 35) est malheureusement fermée au public.

Egid Quirin Asam

Un couloir reliait les deux bâtiments, et une fenêtre permettait au sculpteur de voir le maître-autel de l'église depuis sa chambre. Au bout de la rue s'élève la Sendlinger Tor (1318), une ancienne porte fortifiée de l'enceinte médiévale. ❧ Sendlinger Str. 34 et 62 • plan K5.

Odeon

Louis Ier préleva des fonds sur le budget de la Défense pour faire édifier, en 1828, au no 3 de l'Odeonsplatz, une salle de concert dessinée par Leo von Klenze. À sa reconstruction, après la guerre, seuls les murs entourant la cour intérieure retrouvèrent leur hauteur initiale. L'édifice actuel est occupé par le ministère de l'Intérieur.

La Chancellerie, bordant le Hofgarten

9 Residenz et Hofgarten
Le jardin de la Cour s'étend au nord de l'ancienne résidence des souverains de Bavière (p. 20-21). À l'est, la nouvelle Chancellerie ferme l'esplanade. Construit entre 1989 et 1993, ce bâtiment, controversé, incorpore l'ancien musée de l'Armée. Derrière une des parois vitrées, on aperçoit les vestiges d'un mur et d'un jardin du XVIe s.
👁 Plan L3-L4 et M3-M4.

10 Odeonsplatz, Theatiner-kirche et Feldherrnhalle
À quelques pas de la Residenz, le quartier de l'église des Théatins (p. 27 et 40) avait jadis les faveurs de la noblesse. L'enceinte fortifiée qui le fermait au nord fut démolie au XIXe s. lors du percement de la Ludwigstraße. Ce boulevard rejoint l'université depuis l'Odeonsplatz, où la Feldherrnhalle occupe l'emplacement d'une ancienne porte médiévale. Deux bronzes, sous la loggia, représentent les héros militaires bavarois Jean Tilly et Karl Philipp von Wrede.
👁 Plan L3.

La Feldherrnhalle et une entrée de la Residenz

Un jour dans la vieille ville

Le matin

🕐 Depuis la Marienplatz, traversez la zone piétonnière jusqu'à la Mazaristraße, qui vous mènera à la **Frauenkirche** (p. 79). Au nord, suivez la Maffeistraße jusqu'aux **Fünf Höfe** (p. 66-67), puis la Theatinerstraße jusqu'à l'Odeonsplatz, bordée par la **Theatinerkirche** et la **Feldherrnhalle**. Reprenez des forces en contemplant le Hofgarten depuis le **Café Tambosi**. La visite de la **Residenz** requiert une demi-journée, mais il est possible de flâner à loisir dans les cours intérieures. Depuis la Max-Joseph-Platz dominée par l'Opéra, suivez la Maximilianstraße (p. 79). Revenez sur la Marienplatz par la Dienerstraße, à l'**Alter Hof**, et au **Platzl**, à temps pour la sonnerie du carillon (11 h ou 12 h). Allez savourer une spécialité bavaroise à la **Weißes Bräuhaus** (p. 50).

L'après-midi

Grimpez au sommet d'**Alter Peter** (p. 26) pour une vue plongeante de la ville. Prenez ensuite le Rindermarkt, où se dresse la Löwenturm, puis la Sendlinger Straße. L'**Asamhaus** (no 34) est fermée au public, mais vous pourrez admirer l'intérieur rococo de l'**Asamkirche** (no 62), d'une richesse sidérante. Rejoignez, à l'est, la Sankt-Jakobs-Platz, site du Stadtmuseum et de la synagogue Ohel-Jakob. Faites une pause au **Stadtcafé**. Depuis le **Viktualienmarkt**, rejoignez, à l'est, l'**Isartor** et le Valentin-Musäum (p. 82) ou alors, au sud, le quartier de la **Gärtnerplatz**, riche en bars et brasseries.

➡ Le site **www.ns-dokumentationszentrum-muenchen-de** propose un récit détaillé (en allemand) du Hitlerputsch de 1923.

Gauche **Gärtnerplatztheater, sur la Gärtnerplatz** Centre **Karlsplatz** Droite **Künstlerhaus**

🔟 Autres visites

1 Isartor et Valentin-Musäum
La tour sud de l'Isartor, du XIVe s., abrite un musée consacré à l'humoriste Karl Valentin *(p. 35)*. Un café occupe une salle meublée dans le style du tournant du XIXe s.
◈ *Im Tal 50 • plan M5 • ouv. lun.-mar. et ven.-sam. 11h-18h, dim. 10h-17h • EP • www.live-aus-muenchen.de*

2 Palais épiscopal et palais Portia
L'Erzbischöflisches Palais est le seul hôtel particulier dessiné par de Cuvilliés à avoir survécu. Le palais Portia voisin est de style rococo. ◈ *Kardinal-Faulhaber-Str. 7 et 12 • plan L4 • f. au public.*

3 Literaturhaus
La maison de la Littérature organise des rencontres littéraires dans un ancien collège Renaissance. Le café-restaurant Oskar Maria occupe le rez-de-chaussée.
◈ *Salvatorplatz 1 • plan L3 • www. literaturhaus-muenchen.de*

Isartor et Valentin-Musäum

4 Wittelsbacher Platz
Depuis l'Odeonsplatz, la Brienner Straße conduit à la place des Wittelsbach, où se dresse une statue équestre de Maximilien Ier. ◈ *Plan L3.*

5 Promenadeplatz
L'hôtel Bayerischer Hof et le palais Montgelas bordent, au nord, cette longue place étroite où se tenait au Moyen Âge le marché au sel. ◈ *Plan K4-L4.*

6 Künstlerhaus
La maison des Artistes, inaugurée en 1900, est installée sur la Lenbachplatz. Elle possède un restaurant végétarien et un restaurant de grillades, viandes et poissons. ◈ *Plan K3-K4.*

7 Justizpalast
Friedrich Thiersch acheva en 1898 le palais de Justice qui domine Stachus. ◈ *Plan J4.*

8 Karlsplatz
Cette place agrémentée de fontaines, connue également sous le nom de Stachus, marque la fin de la zone piétonnière. ◈ *Plan J4.*

9 Gärtnerplatz
Située dans le quartier gay *(p. 42)*, cette jolie place abrite le Gärtnerplatztheater. ◈ *Plan L5.*

10 Max-Joseph-Platz
L'aménagement de la place du Königsbau et de l'imposant Nationaltheater commença en 1820. ◈ *Plan L4.*

⮕ *Le café Oskar Maria (p. 84) vend des tasses ornées de citations, en allemand, de l'auteur engagé Oskar Maria Graf.*

Gauche **Schrannenhalle** Centre **Alois Dallmayr** Droite **Hugendubel**

TOP10 Boutiques

1 Schrannenhalle
L'ancienne halle a été reconstruite. La structure de verre et de fer, vieille de 50 ans, renferme aujourd'hui une grande variété d'objets artisanaux.
◈ *Viktualienmarkt 15 • plan L5.*

2 L Beck am Rathauseck
Ce grand magasin vend des articles de prêt-à-porter et de lingerie, ainsi que de la papeterie et des disques. ◈ *Marienplatz 11 • plan L4.*

3 Hugendubel, Marienplatz
La plus importante librairie de Munich possède plusieurs succursales, entre autres à Stachus et dans les Fünf Höfe. ◈ *Marienplatz • plan L4.*

4 Alois Dallmayr
Cette institution, fondée en 1700 propose, au rez-de-chaussée, une épicerie fine réputée pour ses cafés parfumés. Un excellent restaurant se trouve à l'étage.
◈ *Dienerstr. 14-15 • plan L4.*

5 Böhmler im Tal
Raffinée, cette petite boutique de décoration d'intérieur dispose d'un rayon cadeaux. ◈ *Im Tal 11 • plan L4.*

6 Souvenirs du FC Bayern et du TSV München 1860
Les magasins vendant des articles aux couleurs des deux clubs de football de la ville se font presque face. ◈ *Orlandostr. 1 et 8 (près de Platzl) • plan M4.*

7 Elly Seidl
Si vous pensez que nul ne peut rivaliser avec les Belges dans le domaine des bouchées au chocolat, vous devez essayer les créations d'Elly Seidl. ◈ *Maffeistr. 1 et Am Kosttor 2 • plan L4-M4.*

8 Sport Scheck
Vêtements et articles de sport sont exposés sur une surface de 4 000 m². ◈ *Sendlinger Str. 6 • plan L4.*

9 Kokon
Cette enseigne a fondé sa réputation sur le textile et l'artisanat asiatique. Accessoires ménagers au sous-sol.
◈ *Lenbachplatz 3 • plan K3-K4.*

10 Loden Frey
En Bavière, le loden sert à la confection de vêtements traditionnels. Loden Frey consacre un étage entier à ce type de vêtement. Il propose des articles de prêt-à-porter pour hommes, femmes et enfants sur les quatre autres niveaux. ◈ *Maffeistr. 7-9 • plan L4.*

⮞ *Faire des achats à Munich* **p. 66-67.**

Gauche **Bar Centrale** Centre **Oskar Maria** Droite **Cour du Stadtcafé**

TOP10 Cafés et Bars

1 Café Rischart
Les beignets, pâtisseries et gâteaux y sont délicieux. 🔍 *Marienplatz 18 • plan L4.*

2 Oskar Maria
Les clients du café de la maison de la Littérature *(p. 82)* déjeunent dans des assiettes ornées de citations d'Oskar Maria Graf. Les tables de la galerie et de la terrasse sont très prisées, surtout l'été. 🔍 *Salvatorplatz 1 • plan L3.*

3 Schumann's Tagesbar
Le célèbre et très sélect Schumann's *(p. 60)* a ouvert en 2001, dans les Fünf Höfe, un « bar de jour » branché et moderne. 🔍 *Maffeistr. 6 • plan L4.*

4 Stadtcafé im Stadtmuseum
Le café du musée de la Ville possède, dans sa cour intérieure, l'un des « jardins à bière » les plus agréables de Munich, un lieu recommandé pour un déjeuner léger. 🔍 *St.-Jakobs-Platz 1 • plan L5.*

5 Tambosi
Le plus vieux café de Munich, fondé dans le Hofgarten *(p. 61)*, par le fils du maître de cave de Louis Ier, propose des spécialités italiennes. 🔍 *Odeonsplatz 18 • plan L3.*

6 Bar Centrale
Cet élégant bar italien se prête aussi bien à la dégustation d'un expresso le matin qu'à celle d'un cocktail le soir.

7 Café Lotter-Leben
Dans ce café-bar, situé dans la partie sud du marché de Munich, on peut prendre son petit déjeuner tous les jours de 9 h à midi et déguster des plats internationaux pour le déjeuner. 🔍 *Viktualienmarkt/Frauenstr. 4 • plan L5.*

8 Café Kreutzkamm
Cette pâtisserie typique, qui vend de délicieux cakes et autres desserts, est l'une des meilleures de la ville. 🔍 *Maffeistr. 4 • plan E3.*

9 Pusser's
Ce piano-bar propose pas moins de 200 cocktails ! 🔍 *Falkenturmstr. 9 (près de Platzl) • plan M4.*

10 Barista
Situé en sous-sol, dans les Fünf Höfe, le Barista offre en journée un cadre accueillant pour un repas léger et permet de passer un agréable moment de détente. La nuit, il se transforme en bar à cocktails. 🔍 *Kardinal-Faulhaber-Str. 11 • plan L4.*

Autres lieux de restauration et de sortie à Munich p. 24-25, 50-51, 58-65.

Catégories de prix

Pour un repas avec	€ moins de 30 €
entrée, plat, dessert et un	€€ 30 €-40 €
verre de vin ou de bière	€€€ 40 €-50 €
(ou repas équivalent),	€€€€ 50 €-60 €
taxes et service compris.	€€€€€ plus de 60 €.

Ci-dessus **Weinhaus Neuner**

Restaurants

Altes Hackerhaus
Dans cette ancienne brasserie datant de 1832, les solides spécialités locales tiennent au corps. Une fontaine décore la cour. ॐ Sendlinger Str. 14 • plan 5 • (089) 260 50 26 • ouv. t.l.j. 10h-minuit • €.

Braunauer Hof
Près de l'Isartor, le jardin offre un cadre charmant à la dégustation de plats bavarois. ॐ Frauenstr. 42 • plan L5 • (089) 22 36 13 • ouv. 10h-24h, f. dim. • €-€€.

Andechser am Dom
Il règne une atmosphère authentique dans ce restaurant qui sert de la bière de l'abbaye d'Andechs. ॐ Weinstr. 7 • plan L4 • (089) 29 84 81 • ouv. t.l.j. 10h-1h • €.

Hundskugel
La plus vieille *Kneipe* (taverne) de Munich date de 1440. À midi, les prix sont très raisonnables. ॐ Hotterstr. 18 • plan K4 • (089) 26 42 72 • ouv. t.l.j. 10h-minuit • €.

Paulaner im Tal
Ici, les portions sont assez généreuses pour caler les plus affamés. ॐ Im Tal 12 • plan L4 • (089) 219 94 00 • ouv. t.l.j. 10h-1h • pas d'accès en fauteuil roulant • €.

Buffet Kull
On y sert une cuisine française, dans une atmosphère détendue. ॐ Marienstr. 4 • plan M5 • (089) 22 15 09 • ouv. t.l.j. 18h-1h • €€-€€€.

Conviva im Blauen Haus
Les déjeuners légers et les menus du dîner sont attractifs. ॐ Hildegardstr. 1 • plan M4 • (089) 23 336 977 • ouv. lun.-sam. 11h-1h, dim. 17h-1h • €-€€.

Weinhaus Neuner
La plus ancienne cave à vins de la ville (1852) propose une cuisine imaginative, de très bons vins et, à midi, des menus d'un bon rapport qualité/prix. ॐ Herzogspitalstr. 8 • plan K4 • (089) 260 39 54 • ouv. lun.-sam. 12h-14h et 18h-minuit • €-€€.

Sakura Sushi Bar
Les sushis sont d'une très grande variété au Sakura, mais on peut aussi manger des brochettes. ॐ Prannerstr. 1 • plan L4-L5 • (089) 22 801 472 • ouv. t.l.j. 11h-15h et 17h-1h • €-€€.

Prinz Myshkin
Le Prinz Myshkin sert une excellente cuisine végétarienne depuis plus de vingt ans. ॐ Hackenstr. 2 • plan K5 • (089) 26 55 96 • ouv. t.l.j. 11h-minuit • €-€€.

Remarque : sauf indication contraire, tous les restaurants acceptent les principales cartes bancaires et sont accessibles en fauteuil roulant.

Gauche **Bayerische Staatsbibliothek** Droite **Décoration Art nouveau, Ainmillerstraße**

Schwabing et quartier de l'université

C'est de part et d'autre de deux grandes artères percées au XIXe s., la Ludwigstraße et la Leopoldstraße, que Munich s'étendit hors de son enceinte médiévale, au nord et à l'ouest de l'Odeonsplatz. Cette extension commença par le développement du faubourg de Maxvorstadt, qui abrite aujourd'hui plusieurs musées, l'université, des établissements de l'enseignement secondaire et supérieur et des bibliothèques. Schwabing, au nord, devint au tournant du XXe s. le quartier des artistes et des intellectuels, réputé pour son atmosphère bohème. Il s'est beaucoup embourgeoisé, mais il conserve de cette époque d'élégants édifices Art nouveau.

🔟 À ne pas manquer

1 Ludwigstraße et Siegestor

2 Ludwigskirche

3 Bayerische Staatsbibliothek

4 Ludwig-Maximilians-Universität

5 Akademie der Bildenden Künste

6 Leopoldstraße et Münchner Freiheit

7 Englischer Garten

8 Autour de la Königsplatz

9 Quartier des musées

10 Olympiapark

Logo de la brasserie Alter Simpl

Renseignements sur les endroits et monuments de Schwabing à visiter : www.muenchen.de

1 Ludwigstraße et Siegestor

Après avoir fait démolir l'enceinte médiévale, Louis Ier commanda la construction d'un boulevard d'apparat, avec des édifices dans le style de la Renaissance italienne. La Ludwigstraße (1815-1850) s'étend de la Feldherrnhalle *(p. 81)*, au sud, jusqu'à la Siegestor (porte de la Victoire), au nord. Cette dernière est inspirée de l'arc de Constantin à Rome. À son sommet, une allégorie de la Bavière conduit un char tiré par quatre lions. Le monument fut endommagé pendant la Seconde Guerre mondiale. Depuis sa restauration, il porte une inscription : « Dédiée à la victoire, détruite par la guerre, exhortant à la paix. » ◈ *Plan L3-M1.*

Siegestor (porte de la Victoire)

2 Ludwigskirche

Une immense fresque orne l'intérieur de l'église Saint-Louis néoromane *(p. 40)*.

3 Bayerische Staatsbibliothek

Dans le domaine des recherches encyclopédiques en langue allemande, la Staatsbibliothek de Berlin est la seule à dépasser en richesse la Bibliothèque nationale bavaroise, qui conserve près de 8 millions de volumes, 20 000 incunables et et quelque 85 000 manuscrits. Elle a pour origine la « bibliothèque de la cour des Wittelsbach » fondée par Albert V au XVIe s. F. von Gärtner dessina son bâtiment néo-Renaissance (1832-1843). ◈ *Ludwigstr. 16 • plan M2 • www.bsb-muenchen.de*

4 Ludwig-Maximilians-Universität

Sur la Ludwigstraße, l'université de Munich, transférée d'Ingolstadt par Louis Ier en 1472, entoure une place dont les étudiants apprécient beaucoup la fontaine en été. ◈ *Geschwister-Scholl-Platz • plan M2 • www.uni-muenchen.de*

5 Akademie der Bildenden Künste

L'Académie des beaux-arts (1886) a compté, parmi ses élèves, de futurs grands noms de l'art moderne comme Marc, Kandinsky, Klee et Kubin. ◈ *Akademiestr. 2 • plan M1 • www.adbk.de*

La Ludwig-Maximilians-Universität et sa fontaine

 La cour du bâtiment principal de l'université renferme un mémorial au mouvement de résistance antinazi La Rose blanche. 87

Walking Man de J. Borofsky, Leopoldstraße

6 Leopoldstraße et Münchner Freiheit

Le quartier de Schwabing commence au nord de la Siegestor. Boutiques, cafés et fast-food bordent son artère principale, la Leopoldstraße. Celle-ci reste très animée, même si elle a beaucoup perdu de son caractère bohème des années 1960 et 1970, lorsque s'y retrouvaient cinéastes, écrivains et artistes. Au n° 36 se dresse le *Walking Man* (1995), haut de 17 m, une statue de Jonathan Borofsky commandée par une compagnie d'assurances. Sur la terrasse du café de la place Münchner-Freiheit trône une effigie plus grande que nature de l'acteur Helmut Fischer *(p. 53)*. Plusieurs rues

Décor Art nouveau

Jugendstil

En 1896, la parution à Munich du premier numéro de la revue *Jugend* (« Jeunesse ») donna naissance au Jugendstil, la déclinaison allemande de l'Art nouveau. Plus de 100 artistes avaient uni leurs forces pour s'opposer à la « tyrannie » du baron Franz von Lenbach *(p. 35)*, portraitiste très en vogue et membre de l'Académie.

perpendiculaires à la Leopoldstraße abritent des maisons Art nouveau remarquablement conservées, dont la Georgenstraße (n° 8-10) et l'Ainmillerstraße (n°s 20, 22, 33, 34, 35 et 37). Un bel ensemble de la période de la fondation de l'Empire borde la Kaiserstraße. Les boutiques excentriques abondent dans la Hohenzollernstraße et la partie de Maxvorstadt délimitée par la Schelling Straße, la Türkenstraße, et la Barerstraße *(p. 91)*. Les rues à l'est de la Leopoldstaße mènent presque toutes à l'Englischer Garten. Plan F3-G2.

7 Englischer Garten

Schwabing a pour « jardin » le plus grand parc urbain d'Allemagne. Flânerie, jogging, patin en ligne, vélo, canotage et même surf : on peut y pratiquer de nombreuses activités. Plusieurs *Biergarten* et une maison de thé japonaise permettent de s'y détendre. Les rues au sud de la Münchner Freiheit mènent directement à son lac, le Kleinhesseloher See *(p. 38)*.

8 Autour de la Königsplatz

Munich doit sa place Royale à Louis Ier et à son architecte Leo von Klenze. La construction des Propyläen, aux colonnes doriques, de la Glyptothek « ionique », et des Staatlichen Antikensammlungen « corinthiennes » *(p. 36)* s'étala de 1816 à 1862. Juste derrière les Propyläen se dresse la Lenbachhaus *(p. 36)*, qu'un pâté de maisons, seulement, sépare du Paläontologisches Museum *(p. 37)*. À l'est, la Königsplatz s'ouvre sur la Karolinenplatz. L'obélisque

La villa Stuck (p. 37) *est aussi de style Art nouveau. Stattreisen München propose des visites architecturales :* **www.stattreisen-muenchen.de**

Propyläen de Leo von Klenze, Königsplatz

qui en marque le centre rend hommage aux soldats bavarois qui périrent avec les troupes napoléoniennes pendant la campagne de Russie. Sur l'Arcistraße, l'ancien Führer-Bau, où furent signés en 1938 les accords de Munich, abrite aujourd'hui la Hochschule für Musik und Theater. La Königsplatz, où aimaient parader les nazis, accueille désormais des manifestations culturelles en plein air. ◈ *Plan J2-J3.*

9 Quartier des musées
À quelques pas de la Königsplatz, la Barer Straße renferme les trois grandes pinacothèques de Munich *(p. 14-17)* ainsi que d'autres musées et galeries. ◈ *Plan K2-K3.*

10 Olympiapark
Aménagé pour les Jeux olympiques de 1972, ce bel espace vert abrite un grand centre sportif et de remise en forme *(p. 18-19).*

Pacelli-Palais, style Art nouveau, Schwabing

Un jour dans le quartier de l'université

Le matin

Partez du **Café Münchner Freiheit**, flânez sur la **Leopoldstraße**, puis tournez dans la jolie Kaiserstraße. Lénine vécut au nº 46. La Friedrichstraße mène à la Kaiserplatz, où elle coupe l'Ainmillerstraße bordée d'immeubles Art nouveau (nºs 20-37). La Friedrichstraße rejoint ensuite la Georgen-straße, où se côtoient le **palais Pacelli**, au nº 8, et le **palais Bissing**. Reprenez la Leopoldstraße, jetez un coup d'œil à l'**Académie des beaux-arts,** près de la **Siegestor,** et marchez jusqu'à l'**université**. Traversez la cour intérieure du bâtiment principal pour rejoindre le quartier étudiant, autour de l'Amalienstraße. S'il vous vient une envie de cuisine française, allez au **Terrine**, dans l'Amalienpassage.

L'après-midi

Si le climat et votre humeur vous font opter pour des activités de plein air, promenez-vous dans l'**Englischer Garten** *(p. 70),* en vous accordant une pause dans un jardin à bière. Sinon, depuis l'Amalienstraße, rejoignez la Barer Straße par la Schellingstraße afin de visiter les **pinaco-thèques** *(p. 14-17).* La Neue Pinakothek et la Pinakothek der Moderne possèdent chacune un café, à l'instar de la **Glyptothek** de la Königsplatz. La découverte des sculptures et des antiquités des **Staatliche Antikensammlungen** *(p. 36)* conclura cet après-midi culturel.

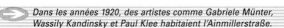

Dans les années 1920, des artistes comme Gabriele Münter, Wassily Kandinsky et Paul Klee habitaient l'Ainmillerstraße.

Gauche **St.-Ursula, sur la Kaiserplatz** Centre **Marché de l'Elisabethplatz** Droite **Musée BMW**

TOP 10 Autres visites

1 Erlöserkirche
Ce temple protestant de style Art nouveau borde, au nord, la Münchner Freiheit. ◉ *Münchner Freiheit • plan G2.*

2 Wedekindplatz
L'ancienne grand-place du Schwabing, au croisement de la Leopoldstraße et de la Feilitzsch-straße, a connu des jours meilleurs. C'est ici qu'eurent lieu, en 1962, les « Schwabinger Krawalle » *(p. 35).* ◉ *Plan G2.*

3 Elisabethplatz
Cette place, baptisée en l'honneur de l'impératrice Sissi, accueille depuis 1903 le deuxième plus grand marché de Munich, après le Viktualienmarkt. ◉ *Plan F3 • marché : lun.-ven. 10h-18h, sam. 7h-midi (parfois, plus tard).*

4 Alter Nördlicher Friedhof
L'ancien cimetière du Nord (1866) est devenu un jardin public. Les enfants jouent sur les pelouses parmi les monuments funéraires, et les adultes bavardent sur les bancs. ◉ *Entre Zieblandstr., Arcisstr., Adalbertstr. et Luisenstr. • plan F3.*

5 Luitpoldpark
Les gravats hérités des bombardements de la Seconde Guerre mondiale à Schwabing servirent à l'aménagement du parc Luipold. La charmante Bamberger Haus, néobaroque, possède une terrasse, très agréable les soirs d'été *(p. 39).*

6 Nikolaiplatz et Seidlvilla
À l'angle de la Siegesstraße et de la Maria-Josepha-Straße, sur une petite place paisible, une villa de 1905 renferme un centre de conférences, lieu aussi de concerts et d'expositions. ◉ *Plan G2 • www.seidlvilla.de*

7 Kaiserplatz et Kaiserstraße
Avant de se convertir à l'abstraction, Wassily Kandinsky prit l'église Sainte-Ursule pour modèle. Le tableau est visible à la Lenbachhaus. Des maisons pittoresques de la fin du XIXe s. bordent la Kaiserstraße. ◉ *Plan F2.*

8 Musée BMW
La tour BMW, au plan en forme de trèfle à quatre feuilles, et son musée hémisphérique ont rouvert en 2008, après de gros travaux de rénovation. Les expositions traitent de l'histoire du design automobile, et les vieilles BMW réjouiront les amateurs. ◉ *Petuelring 130 • plan E1 • ouv. mar.-dim. 10h-18h.*

9 Museum Reich der Kristalle
Ce musée minéralogique est installé à côté de la Pinakothek der Moderne. ◉ *Plan L2.*

10 Musées de la Prinzregentenstraße
En haut de la rue se trouvent la Haus der Kunst, le Bayerisches Nationalmuseum et la Schack-Galerie *(p. 36-37).*

Un petit café chaleureux est installé sur l'Elisabethplatz.

Gauche **Buchhandlung Lehmkuhl** Droite **Japanalia**

🔟 Boutiques

Buchhandlung Lehmkuhl
Cette agréable librairie de la Leopoldstraße propose une bonne sélection d'ouvrages et organise régulièrement des lectures. ◈ *Leopoldstr. 45 • plan G3.*

Natascha Müllerschön
La boutique de cette styliste munichoise, réputée pour son originalité, mérite au moins une visite de curiosité.
◈ *Franz-Joseph-Str. 21 • plan F3.*

Kandis et Kandismann
Ann Dörr utilise des matériaux de qualité pour créer ses objets, parfois très extravagants.
◈ *Hohenzollernstr. 29 • plan F2.*

Japanalia
Du service à thé au kimono, en passant par le mobilier, ce magasin rassemble de beaux objets japonais, neufs et anciens.
◈ *Herzogstr. 7 • plan F2.*

Autorenbuchhandlung
Fondée par des auteurs soucieux de se libérer des diktats de l'industrie du livre, cette librairie organise souvent des lectures. ◈ *Wilhelmstr. 41 • plan F2.*

Mashallah
La boutique, filiale de Kokon (p. 83) propose des textiles et des accessoires de décoration d'intérieur d'un style associant Orient et Occident.
◈ *Schellingstr. 52 • plan L2.*

Momento
Vous y trouverez notamment des chaussures de la marque Arche. Non loin de là, Fabri propose ses modèles de l'année dernière à des prix discount. ◈ *Hohenzollernstr. 40 • plan F2.*

Antiquariat Kitzinger
Juste à côté de l'Institut d'études allemandes de l'université, les livres s'empilent jusqu'au plafond dans cette échoppe de bouquiniste à l'ancienne.
◈ *Schellingstr. 25 • plan L2.*

Small Bag
Allez fouiner dans la boutique de Gisela Rädlein. Vous y trouverez des articles anciens ou branchés, pratiques ou tout simplement originaux (bijoux en argent, fichus, pendules anciennes, etc.).
◈ *Herzogstr. 11 • plan L2.*

Silver and more
Une des meilleures adresses de Munich où se procurer des bijoux en argent et du mobilier.
◈ *Türkenstr. 69 • plan L1.*

→ *Principales rues commerçantes de Munich* **p. 66-67.**

91

Gauche **Terrasse du Café Münchner Freiheit** Centre **Schmock** Droite **Café Florian**

Cafés, bistros et bars

Café Münchner Freiheit
Ce café sur plusieurs niveaux borde au nord la Münchner Freiheit. Une effigie de l'acteur Helmut Fischer est attablée à la terrasse. Idéal pour le déjeuner.
❧ *Münchner Freiheit • plan G2.*

Café Reitschule
Cet établissement, à la périphérie de l'Englischer Garten, possède trois terrasses, un *Biergarten* et un jardin d'hiver. Il a vue sur l'école d'équitation qui lui a donné son nom.
❧ *Königinstr. 34 • plan N1.*

Café Florian
Ce petit restaurant, qui propose des spécialités italiennes, dispose d'une jolie terrasse. Au sous-sol, le Coccodrillo sert des cocktails, le soir. ❧ *Hohenzollernstr. 11 • plan F2.*

Amaliencafé
Étudiants de l'université voisine, comme employés de bureau, viennent ici à midi pour un cappuccino ou un snack.
❧ *Amalienstr. 37 • plan L2.*

Café an der Uni (Cadu)
Parfait pour une pause lors d'une promenade dans le quartier, ce café, au jardin d'hiver caché derrière un mur de la Ludwigstraße, déborde sur le trottoir en été. On y prend des petits déjeuners, aux noms de prix Nobel.
❧ *Ludwigstr. 24 • plan M2.*

Terrine
Cette succursale du Tantris sert une bonne cuisine française dans un cadre Art nouveau.
❧ *Amalienstr. 89 (passage) • plan L1.*

Tresznjewski
Le Tresznjewski, près des pinacothèques, permet, selon l'heure ou l'envie, de prendre aussi bien un café qu'un petit déjeuner, un repas ou un cocktail.
❧ *Theresienstr. 72 • plan K2-L2.*

Vorstadt-Café
Du petit déjeuner végétarien ou « mafioso » aux plats italo-thaïlandais, le choix, ici, est vaste.
❧ *Türkenstr. 83 • plan L1.*

Schmock
Le bar Art nouveau et les spécialités juives (pour certaines, casher) attirent une clientèle branchée. ❧ *Augustenstr. 52 • plan J2.*

Atzinger
Ce bar d'étudiants reste fidèle aux années 1970.
❧ *Schellingstr. 9 • plan L2.*

Autres lieux de restauration et de sortie à Munich p. 24-25, 50-51, 58-65, 84-85, 102-103 et 110-111.

Catégories de prix

Pour un repas avec entrée, plat, dessert et un verre de vin ou de bière (ou repas équivalent), taxes et service compris.

€ moins de 30 €
€€ 30 €-40 €
€€€ 40 €-50 €
€€€€ 50 €-60 €
€€€€€ plus de 60 €.

Droite et gauche **Salle et jardin à bière de la Max-Emanuel-Brauerei**

🔟 Restaurants

1 Tantris
À la meilleure table de Munich, les prix reflètent la qualité des mets *(p. 64)*.

2 La Bouille
L'équipe du Werneckhof, perfectionne sa cuisine française depuis plus de 20 ans. ◈ *Neureutherstr. 15* • *plan K1* • *(089) 39 99 36* • *ouv. lun.-ven. 12h-14h30 et 19h-minuit, sam.19h-minuit, dim. 18h30-23h* • *€€-€€€*.

3 Osteria Italiana
Le plus vieux restaurant italien de la ville possède une cour superbe. ◈ *Schellingstr. 62* • *plan K1* • *(089) 272 07 17* • *ouv. lun.-sam. 12h-14h30 et 18h30-minuit* • *€€-€€€*.

4 Le Sud
Il règne une ambiance animée dans ce bistro français bon marché. La terrasse devrait plaire aux romantiques. ◈ *Bismarckstr. 21* • *plan F2* • *(089) 33 088 738* • *ouv. t.l.j. 18h-1h* • *€-€€*.

5 Arabesk
Concluez un repas arabo-libanais en fumant le narguilé ou, le week-end, en regardant les danseuses orientales. ◈ *Kaulbachstr. 86* • *plan M1* • *(089) 33 37 38* • *ouv. lun.-ven. 12h-15h et t.l.j 18h-1h, ven. et sam. 18h-3h* • *€€*.

6 Mykonos
Ce grec accueillant propose une carte ambitieuse. ◈ *Kaiserstr. 55* • *plan F2* • *(089) 33 53 80* • *ouv. t.l.j. 11h30-23h30* • *€€*.

7 Max-Emanuel-Brauerei
Cette brasserie traditionnelle du XIXe s. est dotée d'un beau jardin à bière de 750 places. Elle organise, pendant le Carnaval, de superbes Weiße Feste. ◈ *Adalbertstr. 33* • *plan L1* • *(089) 271 51 58* • *ouv. t.l.j. 11h-1h (à partir de 17h nov.-mars)* • *€-€€*.

8 Osterwaldgarten
Cet établissement bavarois de l'Englischer Garten, qui attire une clientèle familiale, est souvent bondé. ◈ *Keferstr. 12* • *plan G2* • *(089) 38 405 040* • *ouv. t.l.j. 11h-1h* • *€*.

9 Kun-Tuk
Dragons rouges et lampions constituent la décoration de ce restaurant thaï. ◈ *Amalienstr. 81* • *plan L2* • *(089) 28 37 00* • *ouv. lun.-ven. 11h30-17h et 18h-1h, sam. et dim. 18h-23h30* • *€-€€*.

10 Casa de Tapas
L'ambiance aux accents méditerranéens ajoute au plaisir fourni par les savoureuses tapas servies ici. ◈ *Bauerstr. 2* • *plan F2* • *(089) 27 312 288* • *ouv. t.l.j. 16h-1h* • *€*.

Remarque : sauf indication contraire, tous les restaurants acceptent les principales cartes bancaires et sont accessibles en fauteuil roulant.

Gauche **Müller'sches Volksbad** Centre **Maximilianbrücke** Droite **Gasteig**

Au fil de l'Isar

Quatre quartiers à la personnalité bien distincte bordent l'Isar à l'est. Lieu de résidence apprécié de la haute bourgeoisie, Bogenhausen abrite de nombreuses villas. Très animé, Haidhausen est réputé pour ses bars. Au et Giesing conservent, par endroits,

le charme des vieux faubourgs ouvriers.
Tous s'étendaient du « mauvais côté »
de l'Isar. Ils ont longtemps gardé
leur caractère rural, ce que reflète
la situation des sites de visite pour la
plupart proches de la rivière, comme
le Müller'sches Volksbad et la Villa Stuck,
ou installés sur ses îles (Deutsches
Museum). Sur l'autre rive, Glockenbach
est devenu le haut lieu de la scène gay
(p. 62-63), Lehel est riche en édifices
historiques, et l'Englischer Garten offre
un vaste espace de promenade.

Friedensengel

À ne pas manquer

1. **Friedensengel**
2. **Museum Villa Stuck**
3. **Prinzregententheater**
4. **Maximilianeum**
5. **Gasteig**
6. **Müller'sches Volksbad**
7. **Deutsches Museum**
8. **Praterinsel et Alpine Museum**
9. **Pont de l'Isar**
10. **Auer-Mühlbach et Valentin-Haus**

Pages précédentes **Pavillon thaïlandais, Westpark.**

Friedensengel
Perchée au sommet d'une colonne de 23 m, cette statue dorée baptisée « Ange de la paix », a pour modèle la déesse grecque de la victoire, Niké. Inaugurée en 1899, elle commémore la guerre franco-prussienne de 1870. À ses pieds, deux volées de marches descendent jusqu'à un parc agrémenté de fontaines.
❧ *Prinzregentenstr. • plan P3.*

Maximilianeum, siège du Parlement bavarois

Museum Villa Stuck
Non loin du Friedensengel, la maison dont le peintre Franz von Stuck dessina les plans et conçut entre 1897 et 1898 l'aménagement intérieur pour son usage personnel, offre un superbe exemple d'architecture Art nouveau. Fils de meunier, von Stuck devint l'une des figures majeures du Jugendstil *(p. 88)*, et eut Kandinsky et Klee comme élèves. Transformée en musée en 1968, son ancienne résidence, dont l'aménagement a été préservé, renferme une sélection de ses œuvres. Celles-ci ont pour thèmes de prédilection le péché et la mort. L'aile de l'atelier accueille des expositions temporaires *(p. 37)*.

Die Sünde, villa Stuck

Prinzregententheater
Le théâtre du Prince-Régent s'intègre dans un ensemble d'édifices monumentaux bâtis à Bogenhausen, sur la Prinz-regentenstraße *(p. 43)*. À côté, le Prinzregentenbad, modernisé en 2001, abrite une piscine municipale. En face se trouve Feinkost Käfer, un traiteur réputé.
❧ *Prinzregentenplatz 12 • plan H4.*

Maximilianeum
Cet édifice de Haidhausen, élevé entre 1857 et 1874 d'après des plans de Friedrich Bürklein, ferme la Maximilianstraße sur la rive gauche de l'Isar. Il était, à l'origine, destiné à abriter une école pour enfants socialement défavorisés ; il devint, en 1949, le siège du Parlement bavarois. L'école se trouve désormais à l'arrière.
❧ *Max-Planck-Str. 1 • plan P4-P5.*

Gasteig
Ce centre culturel créé en 1978 *(p. 43)* est situé à l'emplacement d'un ancien hôpital et de la Bürgerbräukeller, où Georg Elser tenta de tuer Hitler en 1939. Il accueille, entre autres, l'Institut de formation pour adultes (Volkshochschule) et la bibliothèque municipale.
❧ *Rosenheimer Str. 5 • plan N6.*

Prinzregententheater

> *Sur le Gasteig, une plaque commémore l'attentat raté de Georg Elser en 1939.*

Müller'sches Volksbad

Müller'sches Volksbad

6 La construction de ces bains Art nouveau, commandée à Carl Hocheder par l'entrepreneur Karl Müller, commença en 1897. La première piscine publique de Munich ouvrit en 1901. Elle reste l'une des plus belles de la ville et mérite une visite pour le simple coup d'œil. Le bassin destiné aux hommes s'étendait sous une voûte en berceau. Les femmes nageaient sous une coupole. Les services comprennent un bain de vapeur romano-celtique. Le Café im Volksbad permet de reprendre des forces après l'effort. ✆ Plan N5.

Le quartier de Glasscherben

Du temps où il n'était qu'un pauvre village hors des limites de la ville, Haidhausen portait le surnom de « Glasscherben-viertel », le « quartier du verre brisé ». Les indemnités de guerre versées par la France après la défaite de 1871 financèrent son développement, d'où des noms comme Pariser Straße, Sedanstraße et Bordeauxplatz.

Deutsches Museum

7 L'île de l'Isar abrite le plus grand musée du monde consacré aux sciences et aux technologies. Signe de l'intérêt qu'il suscite, il rouvrit dès 1948, après avoir été aux trois quarts détruit par les bombardements de la Seconde Guerre mondiale. Prévoyez au moins une journée pour en découvrir les principaux départements *(p. 8-11)*.

Praterinsel et Alpine Museum

8 Une petite île prolonge celle occupée par le Deutsches Museum : la Praterinsel. Le Club alpin allemand, fondé en 1869, y gère l'Alpine Museum, dont la collection retrace l'histoire de l'alpinisme. Cet intéressant musée propose, en outre, des expositions thématiques, notamment de photographies. Un jardin pédagogique renferme un assortiment de roches propres aux régions alpines. Toujours sur la Praterinsel, d'anciens bâtiments industriels de la distillerie Riemerschmid ont été transformés en centre culturel, accueillant des artistes en résidence. Le centre organise des expositions et des manifestations, comme le Comicfestival. En été, des amateurs de tango et de salsa se réunissent dans la cour intérieure pour danser. ✆ Plan N5.

Pont de l'Isar

9 Les ponts franchissant la rivière offrent des points de vue magnifiques. Entre le Deutsches Museum et le Müller'sches Volksbad, le Ludwigsbrücke occupe un site d'une importance historique particulière. C'est en effet là que Henri le Lion (Henri XII de Bavière) construisit son propre pont, sur la route du

Le site Internet de l'organisme gérant les ateliers d'artistes de la Praterinsel retrace l'histoire de l'île : www.praterinsel.de

Équipement vers 1900, Alpine Museum

sel, après avoir fait démolir, en 1156, celui contrôlé par l'évêque de Freising, près de l'actuel Oberföhring. Il récupérait ainsi de lucratifs droits de péage. Un village se développa en ce lieu de passage, où s'était installé un monastère bénédictin. La localité prit plus tard le nom de München (littéralement « près des moines »). ✆ Plan M6-N6.

10 Auer-Mühlbach et Valentin-Haus

Plusieurs petits cours d'eau traversaient autrefois la capitale bavaroise. La plupart ont été recouverts ou comblés, mais l'Auer Mühlbach circule toujours en plein air à l'est de Isar. Au sud du Ludwigsbrücke, il enserre une île où se dresse un pâté de maisons historiques restaurées qui porte le nom du cours d'eau. Karl Valentin (p. 35) naquit à proximité, au 41 Zeppelinstraße. Le bâtiment n'est pas ouvert au public. ✆ Plan N6.

Centre culturel, Praterinsel

Visiter Munich – Au fil de l'Isar

Un jour au fil de l'Isar

Le matin

🕐 Après un café ou un petit déjeuner au **Café im Volksbad** du **Müller'sche Volksbad**, tournez à gauche le long de l'Isar pour atteindre la passerelle menant à la **Praterinsel**. Traversez le jardin pédagogique de l'**Alpine Museum** (entrée gratuite) et faites un bref arrêt au **Centre culturel**, en vous dirigeant vers le Maximiliansbrücke. Le pont vous conduira au **Maximilianeum**. Dépassez le monument, puis tournez à droite dans la Sckellstraße. Depuis la Wiener Platz, occupée par des éventaires de marché, la ruelle An der Kreppe, mène à plusieurs tavernes historiques du quartier de Glasscherben.

🍺 Sur la place, le **Hofbräukeller** est doté d'un jardin à bière (les prix sont raisonnables).

L'après-midi

Revenez sur la Sckellstraße, traversez l'Einsteinstraße puis suivez la Maria-Theresia-Straße, bordée de maisons de la fin du XIXe siècle et de la période Art nouveau. Vous pourrez ensuite flâner à votre guise dans l'agréable parc **Maximilian-Anlagen**. Quel que soit le chemin emprunté, vous parviendrez au **Friedensengel**. Marchez encore quelques minutes pour atteindre la **Villa Stuck**, véritable joyau du Jugendstil (p. 88). Vous pourrez prendre un café au **Wiener's** (Ismaninger Straße 71a), près de l'arrêt du tram nº 18. Celui-ci vous ramènera à la Karlsplatz, en passant par certains des plus beaux sites de Munich.

Dans les années 1860, il existait 64 brasseries au bord de l'Isar, entre la Wiener Platz et le site du Gasteig.

Gauche **Nikolaikirche** Centre **Hofbräukeller** Droite **Portail néoroman de l'Annakirche**

🔟 Autres visites

1 An der Kreppe
Les tavernes jadis fréquentées par des journaliers et des briquetiers donnent un aspect villageois à cette partie de Haidhausen. ◎ *An der Kreppe (Wiener Platz) • plan P5.*

2 Hofbräukeller
Le petit frère de la Hofbräuhaus, sert aussi la fameuse bière. L'immeuble néo-Renaissance *(p. 25)* possède un jardin à bière. ◎ *Wiener Platz • plan P5 • www.hofbraeukeller.de*

3 Nikolaikirche
Cette petite église proche de l'Isar fit sa première apparition dans les annales en 1313. ◎ *Innere Wiener Str. 1 • plan N5.*

4 Lehel
Le quartier de Lehel renferme de nombreux édifices datant des années de la fondation du Reich *(Gründerzeit)*, entre autres autour de la Thierschplatz. ◎ *Plan M5.*

5 Sankt Lukas
L'église Saint-Luc est réputée pour ses concerts choraux *(p. 41)*. ◎ *Mariannenplatz 3 • plan N5.*

6 Klosterkirche St. Anna
Un bijou rococo dans le quartier de Lehel *(p. 40)*. ◎ *St.-Anna-Platz 21 • plan M4.*

7 Annakirche
L'église paroissiale Sainte-Anne, néoromane, a été achevée en 1892. Elle a été réalisée dans le cadre d'un concours d'architecture. ◎ *St.-Anna-Platz 5 • plan N4.*

8 Maximilianstraße et Maxmonument
Entre l'Altstadtring et le Maximilianeum, de majestueux édifices publics, dont le Völkerkundemuseum et le Parlement de Haute-Bavière, bordent la Maximilianstraße. Une statue de Maximilien II se dresse au centre du rond-point. Elle domine des allégories féminines des vertus d'un bon gouvernement. ◎ *Plan M4-N4.*

9 Staatliches Museum für Völkerkunde
Cet édifice caractéristique de l'époque maximilienne, bâti entre 1859 et 1865, abrite le Völkerkundemuseum (musée d'Ethnologie) depuis 1926, dont les collections comprennent plus de 300 000 objets *(p. 37)*.

10 Musées de la Prinzregentenstraße
Au début de la rue du Prince-Régent, à l'ouest de l'Isar, se trouvent la Haus der Kunst, le Bayerisches Nationalmuseum et la Schack-Galerie, trois lieux où découvrir différentes expositions *(p. 36-37)*.

Monument à Maximilien II

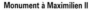

Le bus n° 100 emprunte la Prinzregentenstraße et dessert plusieurs musées.

Gauche **Entrée de Feinkost Käfer** Centre **Eltje Rick** Droite **Porzellan und Pinselstrich**

Boutiques et marchés

Feinkost Käfer
Dans le quartier résidentiel de Bogenhausen, la haute bourgeoisie munichoise joue des coudes devant les rayons de l'épicerie fine de Gerd Käfer.
◎ *Prinzregentenstr. 73 • plan H4.*

Grünermarkt
Cette grande boutique vend toutes sortes d'articles biologiques, des en-cas aux produits cosmétiques.
◎ *Weißenburgerstr. 5 • plan P6.*

Markt am Wiener Platz
Les kiosques à demeure de la Wiener Platz ouvrent tous les jours. Des éventaires de forains donnent un peu plus d'ampleur au marché.
◎ *Wiener Platz • plan P5.*

Weltladen
Du café organique au papier artisanal indien, vous n'y trouverez que des produits du commerce équitable.
◎ *Weißenburgerstr. 14 • plan P6.*

Eltje Rick
Un styliste munichois vend ici des vêtements sur mesure et de prêt-à-porter. ◎ *Steinstr. 57 • plan P6.*

Candle-Light
Si vous aimez les bougies et que vous êtes sensible à l'esprit feng shui, cet endroit est fait pour vous.
◎ *Metzstr. 13 • plan P6.*

Porzellan und Pinselstrich
Décorez vous-même des objets en céramique cuite, non émaillée. Vous emporterez ainsi un souvenir unique.
◎ *Sedanstr. 18 • plan P6*
• *www.porzellanundpinselstrich.de*

Esoterischer Buchladen
Cette « librairie ésotérique » vend, outre des livres, des articles tels que tarots, cristaux de sel de l'Himalaya et huiles aromatiques.
◎ *Sedanstr. 29 • plan P6.*

Liquid
Vous trouverez ici toutes sortes de liquides, de l'huile au cognac, en passant par les vins fins, ainsi que tous les accessoires pour les consommer.
◎ *Pariser Str. 36 • plan P6.*

Weißenburger Straße
Chausseurs, opticiens et marchands de légumes, entre autres, bordent la principale rue commerçante de Haidhausen. Un grand magasin se trouve à l'Ostbahnhof. ◎ *Plan P6.*

➤ *Faire des achats à Munich* p. 66-67

Gauche **Café im Volksbad** Droite **Café Wiener Platz**

Cafés et bars de Haidhausen

Café im Hinterhof
Ce café au décor Art nouveau propose un grand choix de plats au petit déjeuner. Un repas léger est servi à midi. ✎ *Sedanstr. 29 • plan P6.*

Café Wiener Platz
Ce lieu de rendez-vous branché propose des petits déjeuners jusque tard dans la nuit, en terrasse l'été. ✎ *Innere Wiener Str. 48 • plan P5.*

Dreigroschenkeller
Les salles de ce café tentaculaire reproduisent les décors de la pièce la plus célèbre de Bertolt Brecht, *L'Opéra de quat'sous*. Orchestre de jazz les mardis et jeudis soirs. ✎ *Lilienstr. 2 • plan N6.*

Café Fortuna
Ce café de quartier, de style italien, propose un excellent chocolat chaud. ✎ *Sedanstr. 18 • plan P6.*

Café im Volksbad
L'établissement de restauration du Müller'sches Volksbad, de style Art nouveau, sert des mets italiens sous une verrière ou dans la cour d'entrée. ✎ *Rosenheimer Str. 1 • plan N5.*

Eiscafé Venezia
La salle de l'un des derniers glaciers italiens de Munich rappelle les années 1970. Aux beaux jours, on s'installe en terrasse. ✎ *Pariser Platz • plan P6.*

Maria Passagne
Ce petit bar intime, ouvert assez tard le soir, ne sert que des sushis. La réservation est indispensable car plus personne ne rentre quand toutes les tables sont prises. ✎ *Steinstr. 42 • plan P6.*

Teatro
Le Teatro expose un riche choix de tapas sur son long comptoir. Les scènes méditerranéennes projetées sur les murs en font un endroit chaleureux. ✎ *Balanstr. 23 • plan G6.*

Lissabon Bar
Ce bistro portugais sans prétention est apprécié des habitants du quartier pour ses généreuses portions. Le porto et le poisson, la morue en particulier, y sont à l'honneur. ✎ *Breisacher Str. 22 • plan H5.*

Julep's
Les barmen maîtrisent 200 recettes de cocktails. Ce bar américain rustique *(p. 60)* propose aussi des plats américains et tex-mex.

Autres lieux de restauration et de sortie à Munich p. 24-25, 50-51, 58-65.

Catégories de prix

Pour un repas avec
entrée, plat, dessert et un
verre de vin ou de bière
(ou repas équivalent),
taxes et service compris.

€ moins de 30 €
€€ 30 €-40 €
€€€ 40 €-50 €
€€€€ 50 €-60 €
€€€€€ plus de 60 €.

Gauche **Unions-Bräu Haidhausen** Droite **Rue des Halles**

10 Restaurants de Haidhausen

1 Tramin
Plats européens modernes
et spécialités allemandes sont
préparés avec des ingrédients
de qualité. Le menu à 49 € qui
comprend quatre plats est d'un
excellent rapport qualité/prix.
◈ *Lothringer Str. 7 • plan G6 • (089) 44
45 40 90 • ouv. mar.-sam. 18h-1h
• €€-€€€.*

2 Rue des Halles
La réputation de ce
restaurant français ne faiblit pas
depuis 20 ans *(p. 65).*

3 Le Bousquérey
Ce petit restaurant français
est réputé pour ses plats de
poisson. ◈ *Rablstr. 37 • plan G5
• (089) 48 84 55 • ouv. t.l.j. 18h-1h
• €€-€€€.*

4 Le Faubourg
Les petites tables, dont
quelques-unes en terrasse,
la carte des vins et l'ardoise
où sont notés les plats du jour
évoquent le bistro parisien.
◈ *Kirchenstr. 5 (Johannisplatz)
• plan P5 • (089) 47 55 33
• ouv. 18h30-1h ; f. dim. • €€-€€€.*

5 Zum Kloster
Risquez-vous dans ce pub
au style campagnard où l'on
sert des plats faits maison
à partir de produits bio.
L'été, profitez des confortables
sièges qui sont installés
à l'ombre, sous les arbres.
◈ *Preysingstr. 77 • plan P5 • (089) 447
05 64 • ouv. t.l.j. 10h-1h • €.*

6 Vinaiolo
Les vins, excellents,
accompagnent des plats italiens.
◈ *Steinstr. 42 • plan P6 • (089) 48 950
356 • ouv. mar.-dim. 12h-15h et 18h30-1h,
lun. 18h30-1h • €€-€€€.*

7 Unions-Bräu Haidhausen
Une authentique auberge
bavaroise avec sa propre
brasserie. ◈ *Einsteinstr. 42 • plan P5
• (089) 47 76 77 • ouv. lun.-sam.
11h-23h30, dim. 10h-16h • €.*

8 Il Cigno
Cette bonne *osteria* possède
une terrasse. ◈ *Wörthstr. 39
• plan P6 • (089) 448 55 89
• ouv. t.l.j. 11h30-23h30 • €.*

9 Hofbräukeller
Des châtaigniers ombragent
le *Biergarten* de cette brasserie
traditionnelle *(p. 25 et 100).*

10 Taverna Paros
Ce ravissant restaurant grec
sert des viandes succulentes
et des légumes parfumés.
◈ *Kirchenstr. 27 • plan H5 • (089) 470
29 95 • ouv. t.l.j. 17h-1h • €-€€.*

Remarque : *sauf indication contraire, tous les restaurants acceptent les
principales cartes bancaires et sont accessibles en fauteuil roulant.*

103

Gauche **Tierpark Hellabrunn** Centre **Plafond du Schloss Nymphenburg** Droite **Schloss Grünwald**

Le Sud et l'Ouest

Au sud et à l'ouest du centre-ville s'étend une vaste zone résidentielle qui comprend deux quartiers proches de la gare principale. Le premier, Neuhausen, a pour cœur le Rotkreuzplatz. Dans les rues arborées qui l'entourent, de nombreux bars et restaurants ont ouvert ces dernières années au pied d'immeubles datant de la fin du XIXe s. Le second, Westend, possède davantage de caractère grâce à la présence d'une population multiculturelle. Il séduit de plus en plus les milieux créatifs, notamment près de l'Alte Messe. L'ambiance devient plus cossue vers le sud, à Harlaching et, surtout, à Grünwald où de somptueuses villas nichées dans la forêt jalonnent la route du tram n° 25. L'Isar a retrouvé ici son cours naturel et sinueux, que de superbes sentiers permettent de suivre à pied. La plage de gravier fin de Flaucher et son jardin à bière se trouvent près du parc zoologique municipal.

Chapelle,
Blutenburg

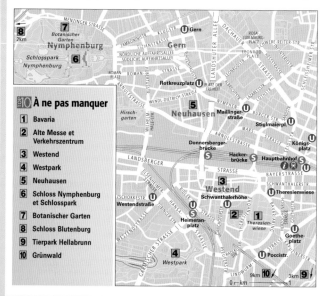

🔟 À ne pas manquer

1. Bavaria
2. Alte Messe et Verkehrszentrum
3. Westend
4. Westpark
5. Neuhausen
6. Schloss Nymphenburg et Schlosspark
7. Botanischer Garten
8. Schloss Blutenburg
9. Tierpark Hellabrunn
10. Grünwald

Renseignements sur le musée des Transports
www.deutsches-museum.de

1 Bavaria

Munich possède une allégorie de la Bavière haute de 18 m. Brandissant une couronne de feuilles de laurier, un lion à son côté, elle veille sur la Theresienwiese, où se tient l'Oktoberfest *(p. 22-23)*.
La statue inaugurée en 1850, dessinée par Ludwig Schwanthaler et fondue par Ferdinand von Miller, renferme une plate-forme d'observation, dans sa tête. Elle tourne le dos à la Ruhmeshalle néoclassique de Leo von Klenze. ◉ *Theresienhöhe 16 • plan D5 • ouv. avr.-mi-oct. : t.l.j. 9h-18h (20h pendant l'Oktoberfest) • EP.*

2 Alte Messe et Verkehrszentrum

Depuis le déménagement de la foire commerciale à Riem, l'ancien parc des Expositions, l'Alte Messe, situé sur la Schwanthalerhöhe, a été reconverti avec imagination. Des immeubles de standing ont été construits sur le champ de foire, et la plupart des halles remplissent désormais une fonction culturelle. Trois d'entre elles abritent le Verkehrszentrum, l'annexe du Deutsches Museum dédiée aux transports *(p. 11)*. Non loin s'étend le Bavariapark, créé à la demande de Louis Ier *(p. 39)*.

Jardin chinois du Westpark

3 Westend

Avec une population à 40 % étrangère, Westend recèle de nombreux bars et commerces ethniques, grecs et turcs en particulier. Ceux-ci contribuent beaucoup à l'attrait d'un quartier qui est en train de devenir très en vogue dans le milieu artistique. Chaque année, de nouvelles galeries et agences de publicité s'y installent. ◉ *Plan D5.*

4 Westpark

Aménagée pour l'Exposition internationale d'horticulture de 1983, la partie ouest de cet espace vert, qui s'étend sur 72 ha, est particulièrement agréable, avec ses jardins japonais et chinois, sa pagode népalaise, son sanctuaire bouddhique thaïlandais ou ses échiquiers géants *(p. 38)*.

La statue de Bavaria accentue l'effet de perspective créé par la Ruhmeshalle

 Les biotopes humides du Westpark sont riches de nombreuses espèces rares.

Palmenhaus

Les serres du jardin botanique couvrent une superficie de près de 1 ha. La Palmenhaus en occupe le centre. Les immenses palmiers qui lui ont donné son nom s'élèvent presque jusqu'à son toit, à une hauteur de 20 m. Les lianes qui s'y accrochent et les plantes tropicales poussant à leurs pieds donnent au lieu l'aspect d'une jungle.

5 Neuhausen

De vastes espaces verts aèrent le deuxième plus vaste quartier du centre de Munich. Un riche jardin botanique borde le parc Nymphenburg, et le Hirschgarten, fondé au XVIIIe s., abrite le plus grand *Biergarten* de la ville. Le cœur de Neuhausen est la Rotkreuzplatz. Les alentours de cette place regorgent de bars et de restaurants. De nombreux immeubles d'appartements, au cachet déjà ancien, en font une zone résidentielle populaire. Villas et maisons individuelles dominent aux approches de Nymphenburg. ✆ *Plan C3-D3.*

6 Schloss Nymphenburg et Schlosspark

Quand Adélaïde de Savoie mit au monde, en 1662, un héritier au trône de Bavière, son époux, l'électeur Ferdinand, célébra l'événement en finançant la construction de la Theatinerkirche *(p. 40)* et en commandant à l'architecte Agostino Barelli un palais d'été pour la jeune mère. Celle-ci dédia la résidence à la déesse romaine de la végétation et à ses nymphes. Le Schloss Nymphenburg connut ensuite plusieurs agrandissements, et le corps de bâtiment principal

mesure aujourd'hui 650 m de long. Le vaste parc paysagé, à la fois à la française et à l'anglaise, abrite plusieurs pavillons des XVIIe et XVIIIe s. Une serre élevée vers 1820 offre un cadre lumineux au Schlosscafé *(p. 12-13)*.

7 Botanischer Garten

Le Jardin botanique créé en 1812 dans le centre de Munich *(p. 39)* s'y retrouva trop à l'étroit au début du XXe s. Aussi déménagea-t-il en 1914 sur un terrain de 22 ha proche du parc de Nymphenburg. Les visiteurs s'y promènent dans des sections thématiques : des parterres de plantes bavaroises, alpines ou médicinales, un bosquet de rhododendrons ou un jardin de bruyère *(p. 38)*.

8 Schloss Blutenburg

Un joli sentier conduit du parc Nymphenburg au Schloss Blutenburg entouré de prairies et de champs. Cet ancien pavillon de chasse construit entre 1435 et 1439 à la demande du duc Albert III sur une île de la Würm

Porcelaine, Schloss Nymphenburg

Salle du Schloss Nymphenburg

*Promenades à pied dans le parc du Schloss Nymphenburg et à vélo jusqu'au Schloss Blutenburg **p. 70-71***

Chapelle du Schloss Blutenburg

a gardé un caractère rustique. Sa chapelle de style gothique tardif date de 1488. Siège de l'Internationale Jugendbibliothek, le château dispose d'un café-restaurant dans sa cour intérieure. ✪ *Plan A2.*

Tierpark Hellabrunn

9 Le Parc zoologique de Munich, fondé en 1911, fut, en 1928, le premier au monde à se définir comme un « géo-zoo » et à disposer les enclos et les pavillons contenant les animaux en fonction des origines géographiques de ces derniers. Chaque continent y a donc son espace propre *(p. 68).*

Grünwald

10 Dans ce quartier de villas, au sud de la ville, s'élève le Schloss Grünwald dont les origines remontent au XIIIᵉ s. Ce château sert d'écrin à une collection archéologique comprenant des objets romains. C'est à Grünwald que se trouvent aussi les studios de Geiselgasteig *(p. 54)* qui sont ouverts au public *(vis. guid.).* ✪ *Plan S2.*

Un jour à Westend

Le matin

🕐 Commencez par grimper jusqu'à la tête de **Bavaria** *(p. 105)* pour profiter de la vue sur la Theresienwiese. Derrière le Ruhmeshalle s'étend le **Bavariapark**. Traversez-le jusqu'à son extrémité nord pour découvrir les véhicules exposés dans les halles du **Verkehrszentrum** *(p. 11)*. Traversez ensuite la Heimeranstraße pour rejoindre la Kazmairstraße. Vous pouvez vous arrêter au **Café Cocoa** (n° 24).

🍴 Partez ensuite à la découverte du quartier multiculturel qui va de la Gollierplatz à la Georg-Freundorfer-Platz. Pour le déjeuner, essayez le bar-restaurant **Müller & Söhne** (Kazmairstr. 28) ou commandez un savoureux plat thaï chez **Kao Kao** (Tulbeckstr. 9)

L'après-midi

La Ganghoferstraße et la Pfeuferstraße vous feront franchir la voie du S-Bahn pour rejoindre la partie est du **Westpark**. Marchez vers l'ouest et dépassez la mystérieuse sphère de granit « flottante ». Dans les étangs se cachent des grenouilles. Il faut emprunter une passerelle enjambant une autoroute pour atteindre la partie ouest du parc, qui renferme des jardins chinois et japonais, une roseraie de plus de 2 000 fleurs et un lac artificiel. En été, sa scène en plein air accueille concerts, représentations théâtrales et projections de films. Le **See-Café** se prête à une pause et à la dégustation d'une pinte de bière. Mais vous pouvez lui préférer le restaurant de la roseraie.

➜ *Site Internet du jardin botanique :* **www.botanik.biologie.uni-muenchen.de**

Gauche **Flaucher** Centre **Bavaria Filmstadt** Droite **Großhesseloherbrücke**

10 Autres visites

1 Flaucher
C'est la plage de l'Isar préférée des Munichois l'été. Beaucoup vont, après un bain de soleil, se désaltérer dans le jardin à bière Flaucher *(p. 24)*.

2 Floßlände
Les descentes de la rivière en radeaux de rondins depuis Wolfratshausen s'arrêtent ici *(p. 115)*. En aval, l'Isar subit des travaux afin de retrouver son état naturel. Les vagues créées par le courant font du lieu un spot de surf aussi apprécié que celui sur l'Eisbach, près de la Haus der Kunst. L'Asam-Schlössl ainsi qu'une taverne et son *Biergarten* (Zentralländstraße 30) permettent de se restaurer.

3 Asam-Schlössl
En 1724, Cosmas Damian Asam *(p. 35)* acquit cet édifice datant de 1687. Il décora sa façade de fresques. Le restaurant possède un joli jardin. ⚓ *Maria-Einsiedel-Str. 45.*

4 Rives du sud de l'Isar et Großhesseloherbrücke
De charmants sentiers suivent la rive droite de l'Isar. Au sud, le pont de Großhesseloher franchit la rivière, permettant ainsi de rejoindre la brasserie Waldwirtschaft et son *Biergarten* (Großhesselohe, Georg-Kalb-Straße 3). En continuant le long du cours d'eau, on arrive à l'ancienne gare d'Isartal, qui abrite une taverne (Großhesselohe, Kreuzeckstr. 23).

5 Marienklause
Martin Achleitner, éclusier sur l'Auer-Mühlbach, construisit cette chapelle en bois en 1865 pour rendre grâce d'avoir survécu à une crue et à un éboulement dans les gorges.

6 Gutshof Menterschwaige
Avec son jardin à bière, cette auberge de 1803, ancien nid d'amour de Lola Montès et Louis Ier, est un cadre agréable pour conclure une journée d'excursion. ⚓ *München-Harlaching, Menterschwaigstr. 4.*

7 Geiselgasteig et Bavaria Filmstadt
Des visites guidées permettent de découvrir les studios de cinéma et de télévision de « Hollywood-sur-Isar » *(p. 54)*.

8 Kloster Schäftlarn
Cette abbaye fondée en 762 est située au pied d'un côteau boisé, entre Grünwald et Wolfratshausen. Elle conserve une église baroque. Sa brasserie et son jardin à bière sont populaires *(p. 123)*. ⚓ *Plan S2.*

9 Hirschgarten
Le plus grand *Biergarten* de Munich se trouve près du Schloss Nymphenburg *(p. 24)*.

10 Nymphenburg
Dans cet élégant quartier résidentiel, des villas bordent les deux côtés de l'avenue menant au château. ⚓ *Plan B2-B3, C2-C3.*

Des concerts ont lieu presque tous les samedis dans l'église du monastère de Schäftlarn. Renseignements au (08178) 34 35.

Gauche **Move** Centre **Hussfeld & Zang** Droite **Schmuck und Objekte Herzkönig**

⁰10 Boutiques et marchés

More and More
Outre une bonne sélection de cadeaux, vous trouverez dans cette boutique tout ce qu'il faut pour décorer votre intérieur, notamment de la verrerie et de la porcelaine.
◈ *Blutenburgstr. 93 • plan D3.*

Moma Li Design
D'une simplicité trompeuse, les créations, toutes uniques, de la styliste Monica Liebetanz sont confectionnées à la main.
◈ *Bergmannstr. 52 • plan D5.*

Hussfeld & Zang
L'accent est mis sur des articles au design allemand ou scandinave, tissus et ameublement. Les produits sont faits à partir de matières naturelles.
◈ *Blutenburgstr. 81 • plan D3.*

Move
Les amateurs de course à pied en panne de chaussures trouveront ici de quoi se remettre en piste.
◈ *Nymphenburger Str. 156a • plan C3.*

Nymphenburger Keramik
Ce magasin propose un large choix de carrelages, de la céramique émaillée à la pierre brute en passant par la faïence.
◈ *Nymphenburger Str. 131 • plan C3.*

Moulin
Les bijoux créés par Christian Mühlbauer sont de véritables œuvres d'art. Le bijoutier réalise aussi des bijoux sur commande d'après les croquis de ses clients.
◈ *Leonrodstr. 47 • plan D3.*

Who's Perfect
Ici, les articles de bureau et de maison haut de gamme ont de légers défauts, mais ils sont à moitié prix. Le mobilier exposé est aussi intéressant.
◈ *Landsberger Str. 350 • plan B4.*

Schmuck und Objekte Herzkönig
Qu'il s'agisse de bagues, de pendentifs, de porte-clés ou de salières, les « parures et objets » en or, argent, platine et pierres précieuses du « roi de cœur » ont tous la même sophistication.
◈ *Blutenburgstr. 39 • plan D4.*

Perlerie
Perles, pierres et tous les accessoires nécessaires pour fabriquer vos propres bijoux. ◈ *Volkartstr. 17 • plan C3.*

Corsetterie
Actrices et chanteuses d'opéra commandent ici tous les corsets sur mesure qui leur dessinent une silhouette de rêve.
◈ *Sprunerstr. 11 • plan D2.*

⇒ *Faire des achats à Munich* **p. 66-67.**

Gauche **Stragula** Centre **Wassermann** Droite **Ruffini**

TOP 10 Cafés et bars

1 Stragula
Une clientèle hétérogène fréquente cette brasserie sans prétention. Les habitués s'y retrouvent le soir autour d'une bière. Les prix des plats bavarois et italiens sont raisonnables, et quelques tables permettent de s'installer dehors en été. ✆ *Bergmannstr. 66 • plan D5.*

2 Café Westend
Au sous-sol de ce café-restaurant se trouvent des pistes de bowling et des tables de billard. ✆ *Ganghoferstr. 50 • plan D5.*

3 Marais Ladencafé
Situé dans une ancienne mercerie, ce café original a conservé la disposition des lieux et des articles d'origine. Un bon endroit pour faire une pause. ✆ *Parkstr. 2 • plan D5.*

4 Café Neuhausen
Ce café propose trois menus à midi et un brunch le dimanche. Son *Biergarten* ouvre à l'arrivée des beaux jours. ✆ *Blutenburgstr. 106 • plan D3.*

5 Wassermann
Des châtaigniers ombragent la terrasse de ce café-bar-restaurant qui accueille parfois des musiciens. ✆ *Elvirastr. 19 • plan D4.*

6 Café Freiheit
L'élégant Freiheit propose une carte de vins italiens pour accompagner les repas. La *happy hour* dure de 17 h à 20 h. ✆ *Leonrodstr. 20 • plan D3.*

7 Cafégarten
On vient au Cafégarten pour un café le matin, un plat de pâtes à midi ou un cocktail le soir. Des arbres ombragent les tables à l'extérieur. ✆ *Nymphenburger Str. 92 • plan D3.*

8 Ruffini
Le plus ancien restaurant bio de Munich possède sa propre boulangerie ; ses pains à base de farine complète sont délicieux. À la belle saison, on peut prendre place sur le toit-terrasse. Certains soirs, des auteurs viennent lire leurs œuvres. ✆ *Orffstr. 22 • plan D3 • f. lun.*

9 Sarcletti
Paul Sarcletti vendait déjà des crèmes glacées en 1879. Le magasin sur la Rotkreuzplatz existe depuis 1921. ✆ *Nymphenburger Str. 155 • plan C3.*

10 Hide-Out
Des groupes locaux et internationaux se produisent dans ce bar. ✆ *Volkartstr. 22 • plan C3 • f. lun.*

Autres lieux de restauration et de sortie p. 24-25, 50-51, 58-65, 92-93 et 102-103.

Catégories de prix

Pour un repas avec entrée, plat, dessert et un verre de vin ou de bière (ou repas équivalent), taxes et service compris.

€	moins de 30 €
€€	30 €-40 €
€€€	40 €-50 €
€€€€	50 €-60 €
€€€€€	plus de 60 €.

Au-dessus **Acetaia**

🔟 Restaurants

1 Acetaia
Ce restaurant italien haut de gamme fait un grand usage du vinaigre balsamique, jusque dans les desserts.
◈ *Nymphenburger Str. 215 • plan C3 • (089) 13 929 077 • ouv. t.l.j. 12h-14h30 et 18h30-22h30 ; f. sam. midi • €€€-€€€€.*

2 Broeding
Ici, des vins fins autrichiens accompagnent des menus gastronomiques composés de cinq ou six plats. ◈ *Schulstr. 9 • plan C3 • (089) 16 42 38 • ouv. 19h ; f. dim.-lun. • €€€-€€€€.*

3 Romans
Sa salle est élégante, sa terrasse romantique et sa cuisine italienne soignée. ◈ *Romanstr. 1 • plan C3 • (089) 168 98 98 • ouv. lun.-ven. 11h-1h, sam. et dim. 10h-1h • €€-€€€.*

4 Zapata
Cette adresse tex-mex est souvent bondée. ◈ *Schulstr. 44 • plan C3 • (089) 166 58 22 • ouv. t.l.j. 17h-1h • €.*

5 Zauberberg
À midi, les menus proposent des mets allemands et méditerranéens raffinés, à petits prix. ◈ *Hedwigstr. 14 • plan D3 • (089) 18 99 91 78 • ouv. mar.-sam. 19h-1h, dim. 18h-1h, mar.-jeu. 12h-14h • €€-€€€.*

6 Marbella
Ce bar à tapas est d'un très bon rapport qualité-prix. En été, une terrasse est installée dans le jardin. ◈ *plan D3 • (089) 12 779 753 • ouv. t.l.j. 18h-1h • pas de carte bancaire • €.*

7 Löwengarten
Cette brasserie décontractée sert des plats bon marché dans son *Biergarten.* ◈ *Volkartstr. 32 • plan C3 • (089) 16 13 73 • ouv. lun.-ven. 17h-1h, sam.-dim. 10h-1h • pas de carte bancaire • €.*

8 Rüen Thai
Il peut prétendre au titre de meilleur restaurant thaïlandais de Munich. ◈ *Kazmairstr. 58 • plan D5 • (089) 50 32 39 • ouv. lun.-mer. 12h-14h30, lun.-dim. 18h-minuit • €-€€.*

9 San Marino
Les pizzas et le vin de la maison, aux prix particulièrement abordables, peuvent être consommés en terrasse.
◈ *Westendstr. 161 • plan C5 • (089) 50 26 000 • ouv. lun.-sam. 11h30-14h30 et 18h-23h30 • €.*

10 Augustiner-bräustuben
Cette brasserie occupe d'anciennes écuries et caves à bière, près de la Theresienwiese (p. 51).

Remarque : sauf indication contraire, tous les restaurants acceptent les principales cartes bancaires et sont accessibles en fauteuil roulant.

EXCURSIONS

TOP 10 MUNICH

Gauche **Neues Schloss, Schleißheim** Centre **Ammersee** Droite **Hôtel de ville, Landsberg am Lech**

Autour de Munich

1 Schloss Schleißheim
L'électeur Maximilien II Emmanuel entendait rivaliser avec Versailles quand il lança, en 1701, la construction du Neues Schloss, d'après des plans d'Enrico Zuccalli. Joseph von Effner acheva les travaux en 1719. Son parc baroque (p. 39) renferme un pavillon de chasse et le Schloss Lustheim. Ce petit palais contient une riche collection de porcelaines des débuts de la manufacture de Meißen. Le Flugwerft Schleißheim (p. 11) se trouve près du domaine. ◈ *Plan S2 • châteaux ouv. avr.-sept. : mar.-dim. 9h-18h ; oct.-mars : mar.-dim. 10h-16h • EP.*

2 Freising
La ville, siège d'un évêché depuis le VIIIe s., s'étend au bord de l'Isar, au pied du *Mons Doctus*, où s'élèvent le palais épiscopal et la cathédrale. Cette basilique à cinq nefs sans transept fut achevée en 1205. L'intérieur fut remanié dans le style baroque par les frères Asam (p. 35) entre 1723 et 1724. L'un des piliers soutenant la voûte de la crypte romane, la *Bestiensäule*, est sculpté d'animaux fantastiques. Près de la cathédrale se trouve la plus vieille brasserie du monde, dans l'ancien monastère bénédictin de Weihenstephan. Elle possède un délicieux *Biergarten*. ◈ *Plan T1.*

3 Dachau
Dans les collines bordant l'Amper, à 15 km au nord de Munich, la petite ville de Dachau entoure une ancienne résidence d'été des Witellsbach, un palais associant les styles Renaissance et baroque (qui abrite un excellent restaurant). Le site du premier camp de concentration créé par les nazis, en 1933, est devenu un mémorial aux milliers de personnes qui y périrent : le KZ Gedenkstätte. Une exposition relatant la chronologie du camp occupe les anciens bâtiments administratifs. ◈ *Schloss Dachau, (081 31) 879 23 • plan S2 • ouv. avr.-sept. : mar.-dim. 9h-18h ; oct.-mars : mar.-dim. 10h-16h • EP • KZ-Gedenkstätte Dachau, Alte Römerstr. 75, (081 31) 66 99 70 • ouv. mar.-dim. 9h-17h • EG.*

4 Herrmannsdorfer Landwerkstätten
Près de Glonn, à 30 km au sud-est de Munich, ce domaine d'agriculture et d'élevage biologiques vend sur place ses produits, notamment de la charcuterie, que l'on peut

Camp de concentration de Dachau

Pages précédentes **Chalet coloré à Oberammergau.**

déguster dans son restaurant. Il possède aussi un jardin à bière. Vous pourrez vous balader dans les champs et les prés, jalonnés de sculptures. ◉ *Plan T2.*

Kloster Andechs
Perchée sur une colline dominant la rive orientale de l'Ammersee, l'abbaye d'Andechs compte parmi les lieux de pèlerinage les plus fréquentés d'Allemagne. Certains s'y rendent cependant surtout pour sa bière, servie à la *Bräustüberl*. Sa charmante église gothique fut remaniée dans le style rococo entre 1750 et 1751. ◉ *Plan R2.*

Fürstenfeldbruck
Ce bourg, à 30 km à l'est de Munich, a conservé un hôtel de ville et des maisons de styles baroque et néoclassique, ainsi qu'une abbaye baroque d'Antonio Viscardi. Les frères Asam *(p. 35)* participèrent à la somptueuse décoration de l'intérieur de l'église. ◉ *Plan R2-S2.*

Wolfratshausen et descente de l'Isar en radeaux de rondins
Des maisons à pignon des XVIIe et XVIIIe s. bordent la grand-rue de Wolfratshausen, à 30 km au sud de Munich sur la Loisach. Souvenirs de l'époque où la localité vivait en partie du flottage du bois, de grands radeaux en partent pour descendre l'Isar jusqu'au débarcadère de la Floßlände *(p. 108)*. Ces joyeuses expéditions, copieusement arrosées, passent par les plus grandes chutes d'eau d'Europe. Elles ont un dénivelé de 18 m. ◉ *Plan S3* • www.isarflossfahrten.de et www.schrall.com

Bayertor, Landsberg

Ammersee
Le troisième lac de Bavière par la taille occupe un bassin glaciaire entouré de moraines boisées. Par temps clair, la vue sur les Alpes est magnifique. Dans les petites localités qui jalonnent la rive, on peut pratiquer des activités comme la voile, le canotage, le surf, la randonnée et la bicyclette. ◉ *Plan R2.*

Osterseen
Au sud du lac de Starnberg, près de Seeshaupt *(p. 32-33)*, une réserve naturelle protège les Osterseen, une vingtaine de petits lacs comptant parmi les plus chauds de Bavière. ◉ *Plan S3.*

Landsberg am Lech
Avec ses façades peintes en bordure du Lech et les gracieuses maisons anciennes de sa grand-place triangulaire, Landsberg paraît sorti d'un livre d'images. Le grand architecte Dominikus Zimmermann conçut l'hôtel de ville et l'occupa en tant que bourgmestre de 1749 à 1754. L'église paroissiale date de la fin du gothique, mais son intérieur est de style baroque.
Une porte fortifiée de 1425, la Bayertor, a traversé les siècles. Haute de 36 m, elle offre une belle vue depuis son sommet.
◉ *Plan R2 • hôtel de ville : ouv. mai-oct. : t.l.j. 8h-18h ; nov.-avr. : t.l.j. 8h-12h et 14h-17h (f. ven. apr.-m.).*

Vierge gothique, Fürstenfeldbruck

Le S-Bahn dessert Oberschleißheim, Freising, Dachau, Fürstenfeldbruck, Wolfratshausen et l'Ammersee (Herrsching).

Gauche **Zugspitzplatt** Centre **Façade peinte à Oberammergau** Droite **Eibsee**

Garmisch-Partenkirchen et Zugspitze

Prairies d'un vert soutenu, sommets enneigés, défilés profonds où courent des torrents, monastères d'origine médiévale, maisons séculaires aux façades peintes… La partie de la Bavière baptisée « Werdenfelser Land » dévoile un paysage de carte postale et attire de nombreux visiteurs en toutes saisons. Dans cette région préalpine de montagnes, dominée par le point culminant d'Allemagne, le Zugspitze (2 962 m), accessible en téléphérique, se trouvent la station de sports d'hiver de Garmisch-Partenkirchen et les petites villes pittoresques d'Oberammergau et de Murnau. Riche en sites naturels d'une grande beauté – comme l'Eibsee, la Partnachklamm et le Murnauer Moos –, la région ne manque pas non plus d'intérêt culturel. Louis II y fit aménager deux résidences royales, et le souvenir des peintres Wassily Kandinsky et Gabriele Münter reste vivant à Murnau. L'excursion en voiture est le moyen le plus confortable de découvrir ce territoire peu urbanisé. Il existe également des liaisons par les transports entre Munich et les principaux sites.

Au sommet du Zugspitze

Le « Werdenfelser Land » doit son nom à une forteresse, le Burg Werdenfels, dont les ruines restent visibles près de Garmisch.

Garmisch, au pied du Zugspitze

Garmisch-Partenkirchen

Au pied du massif du Wetterstein et du Zugspitze, l'union de deux villages pour les Jeux olympiques de 1936 a donné au Werdenfelser Land sa capitale. Cette localité de 30 000 habitants, réputée pour ses cures thermales, est surtout connue comme station de sports d'hiver (elle a aussi accueilli les Championnats de ski alpin en 1978), mais elle est aussi fréquentée en été. Elle constitue un excellent point de départ pour explorer la région. ◈ *Plan R4.*

Zugspitze

Nul besoin de matériel d'alpinisme pour atteindre la cime du Zugspitze (2 962 m), le point culminant de l'Allemagne. Depuis Garmisch-Partenkirchen, un train à voie étroite et à crémaillère monte jusqu'au Zugspitzplatt, à 2 600 m d'altitude. De là, les cabines du Gletscherbahn conduisent jusqu'au sommet, partagé avec l'Autriche. Depuis sa plate-forme panoramique, la vue porte, par temps dégagé, jusqu'aux Dolomites italiennes. Pour redescendre, il est possible de changer de téléphérique, en prenant l'Eibsee-Seilbahn. La glissade jusqu'au lac est splendide. Il suffit de reprendre le train pour retourner à Garmisch-Partenkirchen. ◈ *Plan R4.*

Eibsee

Le lac de l'Eibsee, cerné par la forêt et les montagnes, étend ses eaux d'un bleu profond à près de 1 000 m d'altitude. Il doit sa formation à un éboulement. Long d'environ 3 km et large de quelque 500 m, il possède un périmètre de 8 km et une profondeur maximale de 35 m. Il faut prévoir à peu près deux heures pour en faire le tour à pied. ◈ *Plan R4.*

Partnachklamm

À proximité du stade olympique de saut à ski de Garmisch s'ouvre l'un des défilés les plus impressionnants des Alpes bavaroises. Ses parois, longues de 700 m, atteignent jusqu'à 100 m de hauteur. Un sentier aménagé permet de suivre le cours du torrent où se jette une cascade. ◈ *Plan R4 • ouv. toute l'année.*

Höllentalklamm

La gorge du « val d'Enfer », à Grainau, à 6 km de Garmisch, n'est pas aussi facile à explorer. Il faut de bonnes chaussures et le pied sûr pour suivre le sentier de 1 km jalonné d'échelles et de tunnels éclairés. Une tenue imperméable vous protégera des goutelettes projetées par l'Hammersbach. ◈ *Plan R4 • f. nov.-mai.*

Partnachklamm, près de Garmisch

Königshaus am Schachen

La « maison royale » en bois construite en 1869 sur le Schachenalm, un alpage à 1 900 m d'altitude, servait de refuge à Louis II lors de ses excursions dans les montagnes. Des boiseries parent les cinq pièces du rez-de-chaussée. L'étage est dévolu à la Maurischer Saal, dont les tentures, les candélabres et les vitraux témoignent de la fascination, à l'époque romantique, pour une certaine vision de l'Orient.

Kloster Ettal

L'abbaye bénédictine fondée en 1330 par l'empereur Louis IV de Bavière abrite aujourd'hui un pensionnat. L'église reçut sa coupole rococo entre 1710 et 1752, dans le cadre d'un important remaniement imposé par un incendie. Le monastère d'Ettal est réputé pour ses liqueurs. ✆ *Plan R4.*

Kloster Ettal

Schloss Linderhof

Le domaine du Linderhof, dans le Graswangtal, borde un joli affluent de l'Ammer à 10 km d'Ettal *(p. 30).* ✆ *Ettal, Linderhof 12 • plan R4 • (0 88 22) 9 20 30 • ouv. avr.-sept. : 9h-18h ; oct.-mars : 10h-16h • EP • www.linderhof.de*

Oberammergau

Cette station thermale historique a acquis une renommée mondiale grâce à ses représentations du mystère de la Passion. Tous les dix ans, la population tout entière participe au spectacle. Oberammergau est aussi le lieu de naissance de Franz Seraph Zwinck (1748-1792), le plus célèbre peintre de façades d'Allemagne. ✆ *Plan R4 • prochain mystère de la Passion en 2020.*

Murnau am Staffelsee

Les peintres Wassily Kandinsky (1866-1944) et Gabriele Münter (1877-1962) passèrent ensemble plusieurs étés dans la Münter-Haus de ce village au cachet Art nouveau. L'écrivain Ödön von Horváth (1901-1938) vint aussi y travailler. L'exposition du Schlossmuseum

Première édition du *Cavalier bleu*

évoque ce riche passé culturel. Elle propose aussi une présentation de la technique locale de peinture sous verre. Un sentier pédestre fait le tour du lac. ✆ *Münter-Haus : Kottmüllerallee 6 • plan R3 • (0 88 41) 62 88 80 • ouv. mar.-dim 14h-17h • EP • Schlossmuseum : Schlosshof 4-5 • (0 88 41) 47 62 01 • ouv. mar.-dim. 10h-17h (juil.-sept. : jusqu'à 18h sam. et dim.) • EP.*

Murnauer Moos

Protégé par une réserve naturelle depuis 1980, le plus vaste marécage d'un seul tenant de la bordure alpine offre, sur 32 km², un refuge à plusieurs milliers d'espèces animales et végétales, pour certaines menacées d'extinction. Des sentiers aménagés et bien balisés permettent de découvrir le marécage sur 12 km à pied en toute saison. ✆ *Plan R3-R4.*

La Königshaus am Schachen n'est accessible qu'à pied (3-4 heures). Visites guidées : juin-sept. 11h, 13h, 14h et 15h.

Catégories de prix

Pour un repas avec entrée, plat, dessert et un verre de vin ou de bière (ou repas équivalent), taxes et service compris.

€ moins de 30 €
€€ 30 €-40 €
€€€ 40 €-50 €
€€€€ 50 €-60 €
€€€€€ plus de 60 €.

Gauche **Griesbräu zu Murnau** Droite **Gasthof Zum Rassen**

TOP10 Cafés et restaurants

Kreut-Alm
Le restaurant propose des spécialités bavaroises, et le *Biergarten* ménage une vue splendide du Kochelsee et des montagnes. ⚲ *Kreut-Alm/Großweil* • plan S3 • (0 88 41) 58 22 • www.kreutalm.de • €.

Griesbräu zu Murnau
De belles cuves de fermentation en cuivre trônent sous les voûtes de la salle rustique de cette brasserie traditionnelle. ⚲ *Murnau, Obermarkt 37 • plan R3 • (0 88 41) 14 22 • www.griesbraeu.de • €.*

Ristorante Da Enzo
Pour ceux qui en ont assez de la nourriture allemande ; de superbes pizzas et pâtes à savourer dans un cadre kitsch. ⚲ *Murnau, Schlosshof 5 • plan R3 • (0 88 41) 622 12 • www.murnau.de • €.*

Alpenhof Murnau
Ce chalet, en bordure du Murnauer Moos, sert des mets locaux et internationaux devant un large panorama des Alpes. ⚲ *Murnau, Ramsachstr. 8 • plan R3 • (0 88 41) 49 10 • www.alpenhof-murnau.com • €€€ • pas d'accès en fauteuil roulant.*

Restaurant Sonn Alpin
Le plus haut restaurant d'Allemagne, situé à 2 600 m d'altitude, sur le Zugspitzplatt, peut accueillir 800 personnes sur sa vaste terrasse. ⚲ *Plan R4* • www.zugspitze.de • €.

Hotel « Ludwig der Bayer »
La bière brassée à l'abbaye accompagne des plats bavarois et internationaux. Une liqueur des moines conclura le repas. ⚲ *Ettal, Kaiser-Ludwig-Platz 10-12* • plan R4 • (0 88 22) 91 50 • www.kloster-ettal.de • €.

Schlosshotel Linderhof
Cet hôtel proche du château de Louis II propose des spécialités bavaroises et internationales. ⚲ *Ettal, Linderhof 14* • plan R4 • (0 88 22) 790 • www.schlosshotel-linderhof.com • €.

Gasthof zum Rassen
Cette auberge traditionnelle abrite le plus vieux théâtre populaire rural de Bavière. ⚲ *Garmisch-Partenkirchen, Ludwigsstr. 45* • plan R4 • (0 88 21) 20 89 • www.gasthof-rassen.de • €.

« Das Restaurant » im Eibsee-Hotel
Poissons et écrevisses de la région figurent sur la carte. De la salle, on a une vue sur le lac. ⚲ *Grainau, Am Eibsee 1-3 • plan R4* • (0 88 21) 9 88 10 • www.eibsee-hotel.de • €€.

Parkhotel Sonnenhof
Dans cet établissement situé au pied du Kofel, le chef concilie les cuisines régionale et internationale. Il répond aux demandes des clients végétariens. ⚲ *Oberammergau, König-Ludwig-Str. 12* • plan R4 • (0 88 22) 91 30 • www.parkhotel-sonnenhof.de • €.

Remarque : sauf indication contraire, tous les restaurants acceptent les principales cartes bancaires et sont accessibles en fauteuil roulant.

Gauche **Herzogstand et Kochelsee** Centre **Kloster Benediktbeuern** Droite **Dießen, Ammersee**

Baroque et rococo au Pfaffenwinkel

*D*élimité par trois rivières – la Lech, l'Amer et la Loisach – et, au nord, par deux lacs – l'Ammersee et le Starnberger See –, le Pfaffenwinkel s'étend jusqu'aux montagnes de l'Ammergau et a l'allure classique d'une région préalpine vallonnée, où alternent forêts, prairies, marais et petits plans d'eau. En dialecte local, son nom signifie « coin des curés ».

Il fait référence aux très nombreuses abbayes et églises baroques et rococo de la région. La décoration de la Benediktbeuern et de la Wieskirche permit à l'école de stucateurs de Wessobrunn de se développer. Le Pfaffenwinkel séduit aussi par sa beauté naturelle : des sites comme les gorges de l'Ammerschlucht ou les reliefs boisés entourant le Kochelsee et le Walchensee attirent de nombreux randonneurs. Par l'autoroute A95 et les routes B2 et B11, la majeure partie de la région est à environ une heure de voiture de Munich. En outre, le train et les compagnies d'autobus assurent de nombreuses dessertes.

Plafond stuqué, Kloster Wessobrunn

Les sites

1. Kloster Wessobrunn
2. Hoher Peißenberg
3. Kloster Steingaden
4. Wieskirche
5. Kloster Benediktbeuern
6. Kloster Rottenbuch
7. Kloster Schäftlarn
8. Kochel am See
9. Kochelsee et Walchensee
10. Schongau

Sites Internet sur le Pfaffenwinkel : **www.pfaffenwinkel.de** et **www.pfaffenwinkel.net**

Excursions – Baroque et rococo au Pfaffenwinkel

Chœur rococo, Kloster Wessobrunn

Kloster Wessobrunn

Vers 753, le duc Tassilo III fonda ce monastère bénédictin, sur un site où son compagnon de chasse, Wesso, avait découvert une source (*Brunnen*). Wessobrunn doit à Georg Uebelhor, abbé de 1598 à 1607, la création de sa célèbre école de stucateurs. Elle forma, entre autres, Joseph Schmuzer (1683-1752) et Dominikus Zimmermann (1685-1766), qui dessinèrent de nombreuses églises dans le sud de l'Allemagne et dont le renom a dépassé la Bavière. Il ne subsiste que le clocher de l'abbatiale, démolie au XIXᵉ s. Une partie du reste des bâtiments seulement est ouverte au public.Elle renferme la splendide Fürstentrakt (galerie des Princes) et la salle Tassilo, au riche décor stuqué. L'abbaye resta longtemps dépositaire du manuscrit de la *Prière de Wessobrunn* (v. 800), aujourd'hui conservé à la Bayerische Staatsbibliothek de Munich *(p. 87)*. C'est l'un des plus vieux textes connus en haut-allemand. ◈ *Plan R3 • (0 88 09) 9 21 10 • vis. guid. mars-oct. : mar.-sam. 10h-15h et 16h, dim. 15h-16h ; nov.-fév. : mar.-sam. 15h, dim. 15h et 16h • www.kloster-wessobrunn.de • EG.*

Hoher Peißenberg

L'éminence du Hoher Peißenberg, au centre géographique du Pfaffenwinkel, atteint une altitude de 1 000 m et ménage un splendide panorama sur les prairies des Préalpes. Un observatoire y enregistre des données météorologiques, ce que faisaient déjà en 1781 des maîtres de chœur augustins du monastère de Rottenbuch voisin *(p. 122)*. Le café-restaurant Bayerischer Rigi est doté d'une vaste terrasse. ◈ *Plan R3 • www.bayerischer-rigi.de*

Kloster Steingaden

L'abbaye construite en 1147 par les prémontrés sous l'autorité du duc Welf VI était à l'époque le plus grand centre monastique de Bavière. Elle a conservé un cloître roman, aux voûtes de style gothique tardif. De structure romane, la basilique possède une entrée gothique. Elle a gardé une sobriété extérieure qui ne laisse pas deviner la richesse de son décor intérieur rococo.
◈ *Plan R3 • (0 88 62) 2 00*
• ouv. été t.l.j. 8h-19h, hiver t.l.j. 8h-17h
• ww.steingaden.de • EG.

Cloître romano-gothique, Kloster Steingaden

La Prière de Wessobrunn est gravée sur un rocher devant l'auberge locale, la Gasthaus zur Post.

Nef et chœur de la Wieskirche

4 Wieskirche

Dédiée au Sauveur flagellé, l'église de pèlerinage « dans la prairie » *(auf der Wiese)* est considérée comme la plus grande réussite du rococo bavarois, une déclinaison lumineuse et joyeuse du baroque. Construite entre 1746 et 1754, près de Steingadenelle, elle est l'œuvre de l'architecte et stucateur Dominikus Zimmermann, l'un des représentants les plus doués de l'école de Wessobrunn *(ci-dessous)*, et de son frère, le peintre Johann Baptist. En 1984, l'Unesco a inscrit l'édifice au Patrimoine mondial.
🕾 *Plan R3 • (0 88 62) 93 29 30*
• ouv. été t.l.j. 8h-19h, hiver t.l.j.
8h-17h • www.wieskirche.de • EG.

École de Wessobrunn

Aux XVIIe et XVIIIe s., l'abbaye de Wessobrunn forma certains des plus grands stucateurs du baroque. Des dynasties familiales comme les Schmuzer, les Zimmermann et les Feichtmayr établirent en Europe la renommée d'une école dont on considère Johann Schmuzer (1642-1701) comme le premier maître. Leurs œuvres parent les monastères d'Ettal, de Rottenbuch, Weingarten, Zwiefalten, d'Ottobeuren, de Bad Wörishofen et Steingaden.

5 Kloster Benediktbeuern

Selon la tradition, c'est saint Boniface qui créa, en 739, ce monastère, l'un des plus anciens des Préalpes bavaroises. Les bâtiments actuels ont été édifiés entre 1669 et 1679. L'église, inspirée du baroque tardif italien est de Kaspar Feichmayr. Réputé pour son école d'écriture, le Benediktbeuern était au XIIIe s. un lieu de formation recherché ; sa bibliothèque couvrait tous les domaines du savoir de l'époque. On y trouva, en 1803, un recueil de chants médiévaux réalisé entre 1225 et 1250, les *Carmina Burana*. Le manuscrit est aujourd'hui conservé à la Bayerische Staatsbibliothek. Sécularisé en 1803, le corps de bâtiment accueillit un temps l'Institut d'optique où le physicien Joseph von Fraunhofer (1787-1826) découvrit les raies qui portent son nom et sur lesquelles est basée la spectroscopie. Racheté en 1930 par les Salésiens de Don Bosco, le monastère abrite aujourd'hui leurs Instituts de pédagogie et de théologie. 🕾 *Plan S3 • (0 88 57) 880 • Kloster : ouv. t.l.j. 9h-17h30 • www. kloster-benediktbeuern.de • Glashütte : ouv. t.l.j. 9h-17h • EG.*

6 Kloster Rottenbuch

Ce couvent de chanoines augustins fondé en 1073 par le duc Welf Ier présente un mélange rare d'éléments architecturaux romans, gothiques et rococo. Joseph Schmuzer et son fils Franz exécutèrent, au XVIIIe s., les stucs de l'église. Les fresques sont de Matthäus Günther. 🕾 *Plan R3 • (0 88 67) 10 08 • ouv. t.l.j. 8h-18h (jusqu'à 19h en été) • EG.*

 Le compositeur munichois Carl Orff (1895-1982) mit en musique en 1937 certains des chants des Carmina Burana.

Kloster Schäftlarn

Ces bâtiments conventuels, dessinés par Giovanni A. Viscardi, ont été édifiés entre 1702 et 1707. Ils sont situés sur le site d'un établissement bénédictin de 762. L'abbatiale, consacrée en 1760, est un chef-d'œuvre du rococo bavarois. La famille Zimmermann exécuta une grande partie de ses stucs. Vous pourrez prendre un repas dans l'agréable *Biergarten*. ◈ *Plan S2* • *www.abtei-schaeftlarn.de* • *EG.*

Vue du Walchensee, près de Kochel am See

Kochel am See

Au centre de cette station de villégiature, au bord du Kochelsee, se dresse une statue du forgeron Balthes, héros légendaire de la révolte paysanne contre l'Autriche en 1705. La maison où vécut et travailla le peintre Franz Marc au début du XXᵉ s. est devenue un musée, consacré à son œuvre et à celle de ses amis du mouvement du Cavalier bleu, dont Klee et Kandinsky. ◈ *Plan S3* • *(0 88 51) 92 48 80* • *musée ouv. avr.-oct. : mar.-dim. 10h-18h (nov.-mars 17h)* • *www.franz-marc-museum.de* • *EG.*

Fonts baptismaux, Michaelskirche

Freilichtmuseum Glentleiten

Le plus grand musée en plein air de Haute-Bavière a ouvert en 1976 entre Murnau et Kochel. Quelque 40 bâtiments reconstruits, des fermes, des moulins, une poterie et des ateliers, donnent une idée de la vie jadis menée dans les villages de la région. Les visiteurs disposent d'un restaurant et d'un *Biergarten*. *Ouv. avr.-juin et sept.-nov. : mar.-dim. 9h-18h ; juil.-août : t.l.j. 9h-18h. EG.* *www.glentleiten.de*

Kochelsee et Walchensee

Le lac de Kochel, au pied de collines pentues, a une superficie de 6 km² et une profondeur maximale de 66 m. D'excellents sentiers de randonnée suivent sa rive. À quelques kilomètres au sud, et 200 m plus haut, s'étend le Walchensee, de 16 km² et 190 m de profondeur. C'est le plus vaste et le plus profond lac de montagne d'Allemagne. En été, le plan d'eau est un véritable paradis pour les véliplanchistes. Un téléphérique permet de rejoindre le sommet du Herzogstand, haut de 1 731 m. Le trajet, d'un dénivelé de 800 m, ménage un splendide panorama des deux lacs. ◈ *Plan S4* • *Herzogstandbahn (téléphérique) : Walchensee* • *(0 88 58) 2 36.*

Schongau

La ville, située sur une colline au bord du Lech, a conservé un aspect médiéval, avec ses remparts, ses chemins de guet, ses tours et ses portes fortifiées. À 3 km au nord, la vieille ville, Altenstadt, abrite la Michaelskirche, une église romane bâtie en 1200 qui conserve des fonts baptismaux datant de sa fondation. ◈ *Plan R3* • *www.schongau.de*

Les amateurs de raft apprécient la gorge de l'Ammerschlucht, entre Saulgrub et Peißenberg, et sa superbe cascade Schleier.

Gauche **La Frauenchiemseeinsel et son monastère** Droite **Établissement thermal, Bad Tölz**

Lacs et villes de Haute-Bavière

*C*ollines morainiques aux souples ondulations et montagnes déchiquetées à l'ère glaciaire, lacs paisibles et torrents impétueux... En Haute-Bavière, les régions subalpines du Tölzer Land et du Chiemgau possèdent des paysages d'une grande beauté naturelle. Leurs plans d'eau se prêtent à la pratique de la voile et de la planche à voile. De petites routes et sentiers invitent aux promenades à pied ou à vélo, tandis que les remonte-pentes de Reit im Winkl et du Spitzingsee desservent de vastes domaines skiables. Les îles du Chiemsee, l'« océan de Bavière », exercèrent jadis leur attrait sur d'ascétiques bénédictines comme sur le romantique Louis II. D'agréables stations de villégiature, comme Bad Tölz, servent de points de départ à des randonnées ou permettent de profiter de traitements thermaux. Depuis Munich, le Tölzer Land et le Chiemgau se rejoignent en voiture par l'autoroute A8 et les routes régionales B318 et B472. On peut également circuler en train et en autobus.

Les sites

1	Bad Tölz	6	Lenggries
2	Kloster Reutberg	7	Wendelstein, Bayrischzell
3	Tegernsee	8	Chiemsee
4	Schliersee	9	Reit im Winkl
5	Spitzingsee	10	Schloss Hohenaschau

Garde-robe traditionnelle, Heimatmuseum, Bad Tölz

La Deutsche Alpenstraße, une route panoramique, traverse une partie de la région.

1 Bad Tölz

La station thermale de Bad Tölz, au débouché de la vallée creusée par l'Isar dans les Alpes, est un lieu de villégiature en été et en hiver. Dans la vieille ville, sur la rive droite de la rivière, des maisons aux façades ornées de stucs et de fresques bordent la Marktstraße. Alpamare, l'un des plus grands parcs aquatiques

Leonhardifahrt, Bad Tölz

d'Allemagne, attirera les amateurs de balnéothérapie. Le 6 novembre, la Leonhardifahrt, un défilé de chars attelés en l'honneur de saint Léonard, protecteur des chevaux, est l'une des fêtes folkloriques les plus populaires de Haute-Bavière. ✎ *Plan S3*
- *Alpamare, Ludwigstr. 14*
- *(0 80 41) 50 99 99*
- *www.alpamare.de*

2 Kloster Reutberg

Ce monastère de sœurs franciscaines installé au sommet d'une petite colline proche de Bad Tölz date du XVIIe s. Son abbatiale baroque est ouverte au public, et son jardin à bière ménage une vue spectaculaire sur les Alpes. Si vous souhaitez faire une balade à pied, allez au Kirchsee, un endroit romantique où l'on peut se baigner en été. ✎ *Sachsenkam • plan S3 • EG.*

La ville de Schliersee vue du lac

3 Tegernsee

Le Tegernsee, situé dans un écrin de reliefs boisés, mesure 6 km de long pour une superficie de 9 km². La beauté du lieu et son accès facile (à 50 km de Munich) en font une destination d'excursion et de vacances très appréciée depuis le XIXe s. Sur sa rive, Bad Wiessee, Gmund, Kreuth, Tegernsee et Rottach-Egern forment un collier de stations de villégiature pittoresques et variées. Elles sont fréquentées toute l'année. Bad Wiessee

Vierge, Bad Tölz

abrite l'un des rares casinos de Bavière. ✎ *Plan T3 • Bayerisches Spielbank Bad Wiessee Winner 1 • (0 80 42) 9 83 50.*

4 Schliersee

Moins connu que le Tegernsee, le Schliersee bénéficie pourtant, au pied des Alpes, d'un environnement aussi beau et mieux préservé. Un sentier pédestre de 7 km en fait le tour. En altitude, la station de Spitzingsee dispose de 30 km de pistes *(p. 126)*. La St. Sixtus Kirche, édifiée au début du XVIIIe s., est la principale curiosité de la ville de Schliersee. Elle est ornée des fresques de Johann Baptist Zimmermann, peintre qui travailla également à la Wieskirche *(p. 22)*. ✎ *Plan T3.*

Les sources naturellement riches en iode de Bad Tölz ne furent découvertes qu'en 1946.

Sur la crête du Brauneck, près de Lenggries

Spitzingsee
Les randonneurs séduits par les alentours du Spitzingsee, un lac de 28 ha, situé à 1 100 m d'altitude, cèdent la place en hiver aux amateurs de glisse, qui profitent du plus grand domaine skiable d'Allemagne. ◎ *Plan T4.*

Lenggries
Cette station de cure au bord de l'Isar est un bon point de départ pour des randonnées en montagne. Un téléphérique grimpe au sommet du Brauneck, également accessible à pied.
◎ *Bergbahn • plan S3 • (0 80 42) 50 39 40*
• *www.brauneck-bergbahn.de*

Wendelstein, près de Bayrischzell
Du sommet du Wendelstein, desservi par le plus vieux train à crémaillère des Alpes (1912), et par un téléphérique depuis 1970, s'ouvre l'un des plus beaux panoramas de la région. On peut aussi le contempler depuis le restaurant de la Wedelsteinhaus, ouvert en 1887. ◎ *Plan T3*
• *Wendelstein Bergbahnen*
• *www.wendelsteinbahn.de*

Chiemsee
C'est le plus grand lac d'Allemagne (80 km²), surnommé l'« océan de Bavière ». L'« île des Messieurs » abrite l'Altes Schloss et le Neues Schloss de Louis II *(p. 30)* tandis que l'« île des Dames » compte un village de pêcheurs et un couvent (766). L'édifice, reconstruit au XVIIIe s., est occupé par des bénédictines depuis le IXe s. ◎ *Plan U3.*

Le Chiemsee, l'« océan de Bavière »

Reit im Winkl
Près de la frontière autrichienne, cette station de ski, l'une des meilleures des Alpes bavaroises, a su conserver son caractère de village.
◎ *Plan U3.*

Schloss Hohenaschau
Les origines du château remontent au XIIe s. Les ajouts comprennent la chapelle Renaissance (XVIe s.) et la « maison de Charité » (baroque) qui abrite le Prientalmuseum. Le château abrite également un centre de fauconnerie.
◎ *Aschau • plan U3 • ouv. mi-mai-mi-oct. : mar., jeu. et dim. 13h30 et 15h, mer. et ven. 11h et 12h30*
• *vis. guid. seul. • EP.*

La Herrenchiemseeinsel

Vers 1130, sur la plus grande île du Chiemsee, des chanoines bénédictins bâtissent un séminaire, sur les fondations d'une abbaye du VIIIe s. Remanié dans le style baroque, il ferme en 1803. Louis II achète le site en 1873, fait construire le Neues Schloss et convertit le séminaire en appartements, qu'il baptise l'Altes Schloss. On y découvre une exposition sur la Constitution de la République fédérale d'Allemagne, ratifiée ici en 1948.

Catégories de prix

Pour un repas avec entrée, plat, dessert et un verre de vin ou de bière (ou repas équivalent), taxes et service compris.

€ moins de 30 €
€€ 30 €-40 €
€€€ 40 €-50 €
€€€€ 50 €-60 €
€€€€€ plus de 60 €.

Gasthof Terofal, Schliersee

Cafés et restaurants

1 Auberge Moar Alm
Cette ravissante ferme, à 11 km de Bad Tölz, propose une cuisine aux influences françaises. ◉ *Sachsenkam, Holzkirchner Str. 14 • plan R3 • (0 80 21) 55 20 • www.moar.de • €€€-€€€€.*

2 Kloster-Bräustüberl Reutberg
Ici, vous accompagnerez des spécialités locales d'une bière de monastère, devant une superbe vue des Alpes. ◉ *Sachsenkam, Am Reutberg 2 • plan S3 • (0 80 21) 86 86 • www.klosterbrauerei-reutberg.de • €.*

3 Schlossrestaurant Tegernsee
La cuisine bavaroise est de grande qualité et le restaurant a une vaste terrasse donnant sur le lac. ◉ *Tegernsee • plan T3 • (0 80 42) 45 60 • www.schlossrestaurant-tegernsee.de • €.*

4 Panoramarestaurant Wallberg
Situé à 100 m en dessous du sommet du Wallberg, cet établissement, ouvert en 1998, mérite amplement son nom. ◉ *Rottach-Egern, Am Wallberg 1 • plan T3 • (0 80 42) 68 00 • www.wallberg-restaurant.de • €.*

5 Landgasthof Reindlschmiede
Cette hôtellerie jouit d'un cadre champêtre, près de Bad Tölz. ◉ *Bad Heilbrunn, Reindlschmiede 8 • plan S3 • (0 80 46) 2 85 • www.reindlschmiede.de • €.*

6 Berggasthof Obere Firstalm
Ce chalet de montagne sert de solides spécialités régionales, à prix raisonnables. ◉ *Spitzingsee • plan T4 • (0 80 26) 97 73 02 • www.hotel-firstalm.de • €.*

7 Winklmoosalm
Selon la saison, skieurs ou randonneurs peuvent déguster ici des pâtisseries maison en sirotant un café sur une grande terasse ensoleillée. Le restaurant propose des mets plus consistants. ◉ *Reit im Winkl, Winklmoosalm • plan U3 • (0 86 40) 9 74 40 • www.winklmoosalm.com • €.*

8 Inselhotel Zur Linde
Cet hôtel réputé pour ses gâteaux et ses recettes bavaroises a six siècles d'histoire. ◉ *Fraueninsel im Chiemsee • plan U3 • (0 80 54) 90 366 • www.linde-frauenchiemsee.de • €.*

9 Alter Wirt Herrenchiemsee
On y mange des plats locaux dans un décor chaleureux. ◉ *Bernau am Chiemsee, Kirchplatz 9 • plan U3 • (0 80 51) 96 56 990 • www.alter-wirt-bernau.de • €-€€.*

10 Gasthof Terofal
Dans le centre de Schliersee, cette taverne vieille de 500 ans reste fidèle aux recettes régionales. Elle abrite, par ailleurs, un théâtre rural populaire. ◉ *Schliersee, Xaver-Terofal-Platz 2 • plan T3 • (0 80 26) 92 92 10 • www.hotelterofal.de • €.*

> **Remarque** : sauf indication contraire, tous les restaurants acceptent les principales cartes bancaires et sont accessibles en fauteuil roulant.

Gauche **Château de Burghausen** Centre **Kapellplatz, Altötting** Droite **Schloss Amerang**

Au fil de l'Inn

1 Rott am Inn

Entre 1758 et 1763, Johann Michael Fischer reconstruisit la Klosterkirche St. Marinus und Anianus du monastère bénédictin de Rott am Inn fondé en 1081. L'architecte incorpora à l'édifice les tours romanes de l'église d'origine. Ornée de sculptures d'Ignaz Günther (autel), l'abbatiale compte parmi les grandes réussites du rococo bavarois. ✎ *Plan T2.*

2 Schloss Amerang

Entouré de profonds fossés naturels, ce château perché sur une éminence au sud d'Amerang ressemble à une forteresse médiévale, mais sa cour, entourée de galeries d'arcades, date de la seconde moitié du XVIe s. Elle possède une excellente acoustique et offre un cadre spectaculaire à des concerts en plein air. ✎ *Plan U2 • ouv. Pâques-mi-oct. : ven.-dim. (vis. guid. à 11h, 12h, 13h, 16h) • EP • www. schlossamerang.de*

Hôtel de ville gothique, Wasserburg

3 Kloster Attel

Près de Wasserburg, où la dynastie des Hallgrafen établit sa capitale en 1137, l'ancien monastère bénédictin d'Attel domine l'Inn depuis une butte aux pentes boisées. L'entrée de l'abbatiale baroque, édifiée en 1715, incorpore une stèle romaine sculptée en 204 apr. J.-C. ✎ *Plan T2.*

4 Wasserburg am Inn

Wasserburg jouit d'une situation exceptionnelle, sur un promontoire s'enfonçant dans un méandre de la rivière. Typique de la région, la vieille ville est aérée par de grandes places bordées de galeries d'arcades évoquant l'Italie. Des maisons anciennes à pignons à redents dotées de façades aux couleurs vives bordent ses rues. Wasserburg se distingue par sa richesse en édifices gothiques, comme l'hôtel de ville ou la Pfarrkirche St. Jakob. Depuis l'Innbrücke, 15 min de marche le long d'un sentier agrémenté d'œuvres d'art mènent à la *Schöne Aussicht*, un superbe point de vue sur le quartier ancien. ✎ *Plan U2.*

5 Gars

Construite par Gaspare et Domenico Zucalli entre 1661 et 1690, l'église de cet ancien séminaire de chanoines bénédictins date du début du baroque. L'intérieur est somptueusement décoré de stucs. ✎ *Plan U2.*

Les articles de ces deux pages suivent une disposition géographique constituant un itinéraire de visite de la région.

Au am Inn

6 Fondé au XIIe siècle par des chanoines augustins dans une courbe de la rivière, le monastère d'Au fut reconstruit au XVIIIe s. après un incendie. L'ancienne bibliothèque ornée de fresques est splendide. Un restaurant doté d'un joli jardin à bière est installé dans le corps de bâtiment. ◈ *Plan U2.*

Mühldorf

7 Ce bourg pittoresque, qui s'étend sur une péninsule de l'Inn, était un important centre d'échange au Moyen Âge. Le quartier ancien s'organise autour d'une place de marché longue de 500 m et bordée de maisons typiques, avec leurs pignons à redents et leurs façades peintes. À une de ses extrémités, la Nagelschmiedturm, ou Münchner Tor, d'origine romane, est le plus vieil édifice de la ville. ◈ *Plan U2.*

Altötting

8 Le lieu de pèlerinage le plus ancien de Bavière a pour cœur un ancien baptistère octogonal bâti au VIIIe s. Il abrite une Vierge noire sculptée vers 1300 ; cette petite statue en bois de tilleul est supposée avoir des vertus miraculeuses. La chapelle et le déambulatoire datent respectivement de 1494 et 1517. À l'est du centre-ville, un bâtiment à coupole renferme un panorama représentant le mont Golgotha au moment de la crucifixion. Des effigies grandeur nature illustrent, à l'avant-plan, les stations de la croix. ◈ *Plan V2.*

Burghausen

9 Ce bourg niché dans une boucle de la Salzach, près de son confluent avec l'Inn, connut son apogée au Moyen Âge grâce au commerce du sel et parce que les ducs de Basse-Bavière y avaient établi leur deuxième résidence. Sa forteresse s'étire sur plus de 1 km le long d'un étroit promontoire rocheux. Elle a pour origine un château construit en 1255. Les bâtiments entourant ses six cours, pour la plupart de style gothique tardif, forment un ensemble remarquablement préservé. Autour de la place du marché, dans la vieille ville, se dressent la Jakobskirche (1353-1513), l'hôtel de ville (XVIe s.) et la Schutzengelskirche (XVIIIe s.). ◈ *Plan V2*

Ange gardien, Burghausen

• *Burg : ouv. avr.-sept. : t.l.j. 9h-18h ; oct.-mars : t.l.j. 10h-16h* • *EP.*

Tittmoning

10 C'est l'un des plus jolis villages de Bavière orientale. Deux portes fortifiées mènent à une place trapézoïdale bordée de maisons stuquées. Depuis le sommet d'une colline, un château du XIIIe s. ménage un beau panorama. ◈ *Plan V2*

• *château : ouv. mai-sept. : ven.-mer. à partir de 14h* • *EG* • *www.tittmoning.de*

MODE D'EMPLOI

TOP 10 MUNICH

Gauche **Sur la route en Bavière** Droite **Appareil de la Lufthansa**

TOP 10 Préparer le voyage

1 Quand partir
Toutes les saisons se prêtent à une visite de Munich, y compris l'hiver. La neige couvre alors les pistes des stations de ski, et les manifestations culturelles sont aussi nombreuses qu'en été.

2 Climat
Les journées sans nuages sont fréquentes en janvier. Le temps se montre plus inconstant en avril, et il arrive qu'il fasse encore froid en mai, au moment où démarre officiellement la saison des *Biergarten*. C'est en août que l'eau des nombreux lacs entourant Munich atteint sa température la plus chaude. La douceur des journées d'automne invite aux promenades dans la campagne.

3 Renseignements
Les offices municipaux de tourisme constituent d'excellentes sources d'information dans toutes les villes de Bavière.
❀ www.muenchen.de
• www.garmisch-partenkirchen.de
• www.muenchen-tourist.de

4 Internet
La plupart des établissements publics et privés possèdent aujourd'hui des sites Internet. Cependant, les sites ne comportent pas tous une version française, ni même anglaise.

5 Carte de santé européenne
La Carte européenne d'assurance maladie doit être retirée, avant le départ, auprès de votre caisse d'assurance maladie (ou sur son site Internet). Elle vous permet de bénéficier de la sécurité sociale allemande. Il est aussi recommandé d'avoir une assurance couvrant les frais de rapatriement en cas de grave problème de santé. Cette protection est souvent prévue par les assurances de responsabilité civile ou par les contrats de cartes de crédit internationales.

6 Formalités
Pour entrer en Allemagne, les citoyens de l'Union européenne ont seulement besoin d'une carte d'identité en cours de validité ou d'un passeport établi depuis moins de dix ans. Aucun visa n'est requis pour les Suisses et les Canadiens pour un séjour de moins de trois mois.

7 Douane
Pour les citoyens de l'UE, il n'existe aucune limite pour les biens à usage personnel. Les ressortissants, âgés de plus de 17 ans, des pays n'appartenant pas à l'Union européenne peuvent importer en détaxé jusqu'à 200 cigarettes, 1 l de spiritueux et 60 ml de parfum.

8 Cartes et plans
Les offices de tourisme de Munich fournissent des plans de la ville gratuitement. Librairies, grands magasins et stations-service vendent des cartes de la région.

9 Permis de conduire
Les permis français, belge, canadien et luxembourgeois sont reconnus en Allemagne.

10 Durée de séjour
La découverte des principaux sites de visite de Munich prend à peu près une semaine. Vous avez donc intérêt à vous accorder davantage de temps si vous envisagez de pousser jusqu'à Neuschwanstein ou jusqu'aux stations de villégiature des Alpes et des lacs de Haute-Bavière.

Consulats

France
Heimeranstr. 31
80339 München
• *(089) 41 94 11 0.*

Belgique
Kaiserplatz 8
80803 München
• *(089) 38 98 92 0.*

Canada
Im Tal 29
80331 München
• *(089) 21 99 57 0.*

Suisse
Brienner Straße 14/III
80333 München
• *(089) 28 66 20 0.*

Gauche **Hauptbahnhof (gare centrale) de Munich** Droite **Autobus de l'aéroport**

🔟 Arriver à Munich

1 Aéroport de Munich

Le Franz-Joseph-Strauß-Flughafen dispose d'un deuxième terminal, et la plupart des vols nationaux et internationaux à destination de la Bavière s'y posent. Il possède un salon et un espace jeux, ainsi qu'un centre de soins MediCare et une clinique polyvalente, l'AirportClinic M. ✆ *Rens. sur les vols : (089) 97 52 13 13 • www.munich-airport.de*

2 Compagnies aériennes

Les terminaux 1 et 2 abritent les comptoirs de plus de 100 compagnies de tous horizons. Air Berlin et Lufthansa assurent de nombreuses dessertes à l'intérieur de l'Allemagne. ✆ *Air Berlin : (0180) 573 78 00 • www. airberlin.com • Lufthansa : (01 80) 58 38 42 67 • www.lufthansa.com*

3 Rejoindre le centre

L'aéroport de Munich borde l'A92 à 30 km du centre-ville. Depuis la station en sous-sol du bâtiment principal, les lignes S1 et S8 du S-Bahn conduisent, en 37 min, à la Marienplatz. Un bus part toutes les 20 min à destination de la gare centrale. Sauf problème de circulation, le trajet dure 45 min. Aussi, prendre un taxi ne fait pas vraiment gagner de temps.

4 Arriver en train

La plupart des trains qui arrivent de l'étranger s'arrêtent à la Hauptbahnhof, la gare principale, mais nombre de ceux venant de France desservent aussi la Bahnhof München-Pasing proche de Nymphenburg. Un dense réseau ferroviaire parcourt le sud de la Bavière. ✆ *www.hauptbahnhof-muenchen.de*

5 Trains allemands

Comparable au TGV français, l'InterCity Express (ICE) n'assure que des liaisons entre les grandes villes. L'InterCity (IC) correspond à un express et ne dessert donc pas certaines gares. Comme leur nom l'indique, les trains EuroCity (EC) circulent entre d'importantes métropoles européennes. Sur de courtes distances, mieux vaut se tourner vers l'Interregio (IR) et le Regional Express (RE). Le S-Bahn rayonne dans la banlieue jusqu'à une distance de 50 km du centre. ✆ *www.bahn.de*

6 Ostbahnhof

Quelques InterCity (IC) et EuroCity (EC) s'arrêtent à la gare de l'Est. Celle-ci offre de l'intérêt pour les trains-autos à destination de villes de l'Allemagne du Nord ou de Narbonne. ✆ *www.reiseauskunft. bahn.de • www.autozug.de*

7 Arriver en autocar

Les autocars qui assurent des liaisons longue distance arrivent à la Zentralen Omnibus-bahnhof (ZOB), la gare routière voisine de la Hauptbahnhof. Les deux principales compagnies sont Eurolines et Deutsche Touring GmbH. Des lignes d'autobus desservent les destinations touristiques de Haute-Bavière. ✆ *www.eurolines.com • www.touring.de • www.rvo-bus.de*

8 Arriver en voiture

Sept autoroutes rejoignent Munich depuis Salzburg (A8), Lindau (A96), Stuttgart (A8), Berlin (A9), Garmisch-Partenkirchen (A95), Simbach (A94) et Deggendorf (A92). Une ceinture autoroutière (A99) permet de contourner la ville. Deux périphériques, le Mittlerer Ring et l'Altstadtring permettent d'entrer dans la capitale de la Bavière.

9 Location de voitures

Les grandes sociétés ont des comptoirs à l'aéroport et à la gare centrale. ✆ *www.avis.de • www.europcar.de • www.hertz.de • www.sixt.de*

10 Limite de vitesse

La vitesse est limitée à 50 km/h à l'intérieur de Munich.

Gauche **Logo du réseau de trains de banlieue** Droite **Bus MVV**

🔟 Se déplacer à Munich

1 U-Bahn
Des rames modernes et confortables circulent sur les huit lignes de métro actuellement en service, et presque toutes les stations sont accessibles en fauteuil roulant. La ligne U6 dessert l'Allianz Arena de Fröttmaning fonctionne depuis 2006.

2 S-Bahn
Rayonnant dans toutes les directions depuis le centre, le réseau de trains de banlieue est le moyen le plus pratique pour partir à la découverte des villes et lacs de la périphérie. Comme le RER parisien, il traverse aussi le centre-ville, du Hackerbrücke à l'Ostbahnhof en passant par la Hauptbahnhof, Stachus et Marienplatz. Ces stations permettent des correspondances avec le U-Bahn, les bus et les tramways. Les lignes S1 et S8 assurent la liaison avec l'aéroport.

3 Tramways
Généralement moins bondés que les rames du métro ou les trains du S-Bahn, les tramways disposent presque tous de rampes pour fauteuils roulants. Par ailleurs, le tramway offre la possibilité de contempler le paysage. Difficile de trouver circuit touristique plus économique que celui qui parcourt la vieille ville avec les lignes no 18 et 19. Le trajet jusqu'à Grünwald par la ligne no 25 est aussi très pittoresque.

4 En autobus
Les bus urbains sont surtout pratiques sur de courtes distances en correspondance avec le S-Bahn ou le U-Bahn. Le bus no 100 dessert plusieurs musées *(p. 36)*. Un panneau signale les bus dotés de rampes pour fauteuils roulants.

5 Titres de transport
Les mêmes billets donnent accès à tous les transports publics gérés par la MVV pour le compte de la collectivité munichoise. Ils peuvent être achetés aux distributeurs automatiques des stations de U-Bahn et de S-Bahn, auprès des marchands de journaux, à bord des trams et des bus. L'agglomération est divisée en quatre zones tarifaires. Il existe des billets pour un seul trajet *(Einzelkarte)* ou plusieurs *(Streifenkarte)*, ainsi que des cartes pour une journée *(Tageskarte)*, trois jours, une semaine ou un mois. La CityTour-Card (www.citytourcard. com) permet d'utiliser tous les transports publics et de bénéficier de réductions sur les entrées de certains musées et théâtres. Elle est valable un ou trois jours, pour le centre de Munich et les environs. La plupart des forfaits peuvent être achetés pour une seule ou plusieurs personnes.

6 En voiture
Mieux vaut éviter le centre, les parkings sont coûteux et les places de stationnement rares. Seules les voitures « vertes » (la plupart des locations) sont autorisées à l'intérieur du Mittlerer Ring. Les conducteurs doivent acheter un badge en ligne. 🟊 *www.umwelt-plakette.de*

7 À bicyclette
Munich possède de nombreuses pistes cyclables. Louer un vélo est bon marché. 🟊 *Munich Walk Tours : 0049 (0) 176 2813 9213 • Mike's Bike Tours : (089) 25 54 39 87.*

8 À pied
La vieille ville, Schwabing, Haidhausen, les rives de l'Isar, Westend et Neuhausen sont propices aux balades.

9 En taxi
Téléphoner constitue le meilleur moyen de réserver un taxi. Vous pouvez aussi en arrêter un dans la rue. 🟊 *Taxi-Ruf : (089) 1 94 10 et 2 16 10 • IsarFunk : (089) 45 05 40.*

10 Croisière
La Bayerische Seenschifffahrt propose des croisières sur le lac Starnberg et l'Ammersee. 🟊 *(08652) 96 360 • www.seenschiffahrt.de*

Mode d'emploi

Gauche **Bus touristique** Centre **Bateaux de la Weißblaue Flotte** Droite **Kiosque à journaux**

TOP 10 Où se renseigner

1 Office de tourisme

L'office de tourisme municipal, le Tourismusamt München, possède deux bureaux, à la gare centrale et dans l'hôtel de ville de Marienplatz. Ces bureaux fournissent des brochures et des cartes, et assurent de nombreux services, comme la réservation de chambres d'hôtel.
◉ *(089) 23 39 65 00*
• *www.muenchen.de*

2 München Ticket

Cette agence de location permet d'acheter des places pour les grands spectacles, notamment les événements culturels et sportifs. Facilement accessible, elle dispose d'antennes à l'hôtel de ville, au Gasteig, à l'office de tourisme de la gare centrale ainsi qu'à l'Info-Pavillon de l'Olympiapark.
◉ *(089) 54 81 81 81*
• *www.muenchenticket.de*

3 Bureau d'administration des châteaux bavarois

Le Bayerische Schlösserverwaltung est responsable de pas moins de 45 résidences historiques appartenant au Land de Bavière, ainsi que de nombreux jardins princiers, souvent agrémentés de lacs.
◉ *Bayerische Verwaltung der staatlichen Schlösser, Gärten und Seen :*
(089) 179 08 444 • www. schloesser.bayern.de

4 Plans des transports publics

Les comptoirs de la gare centrale et de la Marienplatz fournissent gratuitement des plans des réseaux du MVV. Les plans peuvent aussi être téléchargés depuis le site Internet. Un code couleur distingue les zones tarifaires. Les sites Park+Ride permettent de laisser sa voiture garée en périphérie.
◉ *www.mvv-muenchen.de*

5 Visites guidées

Plusieurs opérateurs proposent des visites de la ville en autocar, ainsi que des excursions d'une journée, au départ de la Hauptbahnhof. Le commentaire est en plusieurs langues.
◉ *München Stadt-Rundfahrten Gray Line : (089) 55 02 89 95*
• *Panorama Tours : (089) 54 90 75 60 • www. city-sightseeing.com*

6 Visites spécialisées

Il existe des visites à pied à thème (l'Art nouveau, l'histoire juive, la bière) ainsi que des circuits en tramway, à vélo et pour handicapés.
◉ *Stattreisen München, (089) 54 40 42 30 ; www. stattreisen-muenchen.de*
• *Weis(s)er Stadtvogel München : (089) 26 16 97 65 ; www.weisser-stadt-vogel.de • Spurwechsel : (089) 6 92 46 99 ; www.spurwechsel. muenchen.de*

7 Magazines de programmes

Plusieurs magazines gratuits annoncent les films, les spectacles et les expositions, dont *Prinz* (avec les adresses branchées du moment) et *In München*, qui est plus ancien et plus complet.

8 Médias

Plus de 300 maisons d'édition et plusieurs radios et télévisions ont leur siège à Munich. Les informations locales sont traitées dans deux grands quotidiens, le *Süddeutsche Zeitung (SZ)* et le *Münchner Merkur*, ainsi que dans la presse populaire, l'*Abendzeitung (AZ)* et le *Tageszeitung (TZ)*. Der Bayerische Rundfunk, la chaîne publique de télévision, émet sur cinq canaux.

9 Informations sur Internet

• *www.muenchen.de*
• *www.munichtoday.de*
• *www.allemagne-tourisme. com*
• *www. ganz-muenchen.de*
• *www.munichx.de*
• *www.muenchentours.de*

10 Informations gays

Le SUB est un centre culturel, de conseil et d'information. Il possède un café. ◉ SUB, *Müllerstr. 43 ; plan K5-K6 ; (089) 2 60 30 56*
• *Münchner AIDS Hilfe e.V. ; (089) 54 33 30 • LeTra Lesbentelefon : (089) 725 42 72.*

Mode d'emploi

Gauche **Bayerische Landesbank** Centre **Boîte aux lettres** Droite **Distributeur de billets**

TOP 10 Banques et communications

1 Banques
Les grandes banques allemandes ont toutes des agences dans le centre, ouvertes, pour la plupart, de 8 h 30 à 16 h du lundi au vendredi. Leurs adresses : Bayerische Landesbank, Brienner Straße 18 ; Commerzbank, Maximiliansplatz 19 ; Deutsche Bank, Promenadeplatz 15 ; Dresdner Bank, Promenadeplatz 7. Les bureaux de la ReiseBank à la Hauptbahnhof et à l'aéroport sont ouverts, respectivement, de 6 h à 23 h et de 6 h 30 à 22 h.

2 Cartes bancaires
Tous les hôtels, en dehors des pensions les plus modestes, tous les grands magasins et la quasi-totalité des commerces et des restaurants acceptent les paiements par carte Visa et Euro/MasterCard. Des pannonceaux signalent, en devanture, les cartes acceptées. Les *Biergarten* ne prennent que les espèces.

3 Distributeurs automatiques de billets
Ils sont nombreux partout en ville et sont accessibles 24 h/24. Les petites localités en possèdent également. Les ressortissants de l'Union européenne ne paient pas de commission sur leurs prélèvements.

4 Change
L'aéroport et la gare principale abritent des bureaux de change. Il existe des changeurs automatiques de devises en centre-ville.

5 Chèques de voyage
Ils offrent le moyen le plus sûr de transporter de l'argent car ils peuvent être récupérés sur place en cas de perte ou de vol. Ils sont échangeables contre des espèces dans les succursales de l'organisme émetteur et les principales banques. Les grands hôtels les acceptent comme mode de paiement.

6 Publiphones
Deutsche Telekom gère tous les téléphones publics. La plupart fonctionnent avec des cartes, en vente dans les bureaux de poste, les bureaux de tabac, certains supermarchés et les kiosques à journaux. Certains publiphones acceptent aussi les cartes bancaires. Quelques cabines high-tech permettent de faire des recherches sur Internet et de recevoir ou d'envoyer des courriels.
⊗ *Renseignements : Allemagne, 11 833 ; étranger, 11 834*
• *Indicatifs : Allemagne 0049, Autriche 0043, Belgique 0032, Canada 01, France 0033, Italie 0039, Suisse 0041; à l'intérieur de Munich : 089 ou 89.*

7 Téléphone portable
Les réseaux de T-Mobile, Vodafone et O2 couvrent la majeure partie de la Bavière. Les communications que vous recevrez sur votre portable donnent lieu à un surcoût pour l'appelant comme pour vous. L'usage du portable est autorisé dans les transports publics.

8 Bureaux de poste
Il n'y a plus de bureaux de poste à Munich : leurs services sont assurés par des boutiques « partenaires ». Vous pouvez aussi acheter des timbres aux distributeurs automatiques. Les boîtes aux lettres jaunes ont deux fentes, l'une pour le courrier pour Munich, l'autre pour les autres destinations.

9 Internet
Tous les musées ainsi que de nombreux hôtels et restaurants possèdent un site Web. Un grand nombre d'hôtels proposent l'accès Internet (souvent payant) à leurs clients.

10 Cafés Internet
Munich renferme de nombreux cybercafés, dont le Kr@ftAkt gay *(p. 63)*. L'easyInternet-Café de la Bahnhofplatz, en face de la gare, ne ferme jamais.
⊗ *easyInternet-Café, Bahnhofsplatz 1 • plan J4.*

Gauche **Ambulance** Centre **Logo d'une pharmacie** Droite **Voiture de police**

🔟 Santé et sécurité

1 Numéros d'urgence
Le numéro d'urgence de la police est le 110, et celui des pompiers et des ambulances le 112. L'appel est gratuit depuis un téléphone public. Il existe aussi des services d'assistance téléphonique.
✆ SOS médecins : (0 18 05) 19 12 12 • SOS poison : (089) 1 92 40 • SOS femmes : (089) 76 37 37 • SOS toxicomanes : (089) 28 28 22 • SOS religion : 0800-1 11 02 22 (catholique) 0800-111 01 11 (évangélique).

2 Hôpitaux
La Carte européenne d'assurance maladie (p. 132) permet de bénéficier de la même couverture des frais hospitaliers que les citoyens allemands. Cependant, une assurance complémentaire est recommandée, surtout pour les visiteurs canadiens et suisses.

3 Médecins et dentistes
Le personnel de votre hôtel saura vous indiquer un médecin ou un dentiste proche de votre lieu de résidence. Vous pouvez aussi consulter les Pages Jaunes (Gelbe Seiten). Le consulat tient à jour une liste de généralistes et de spécialistes parlant le français. Celle-ci peut être consultée sur son site Internet : www. consulfrance-munich.org

4 Pharmacies
Un grand « A » rouge signale les Apotheke. La plupart sont ouvertes de 7 h à 20 h. Hors des horaires d'ouverture, un panneau indique la pharmacie de garde la plus proche. Il est aussi possible de se renseigner par téléphone.
✆ (089) 59 44 75.

5 Délinquance
Munich a l'un des taux de délinquance les plus faibles, non seulement d'Allemagne mais aussi d'Europe. Vous y serez en parfaite sécurité à condition de respecter des règles simples de prudence, comme éviter de se rendre seul la nuit dans des parcs ou des quartiers excentrés.

6 Vols
Des pickpockets peuvent sévir à Munich, tout particulièrement pendant l'Oktoberfest. Restez vigilant dans les voitures de U-Bahn ou de S-Bahn bondées, ou quand vous marchez au milieu de la foule dans les zones piétonnes.

7 Objets trouvés
En cas de perte, essayez l'un des numéros suivants :
✆ Service municipal des objets trouvés : (089) 23 39 60 45 • objets trouvés de la Deutsche Bahn : (089) 13 08 66 64 • objets trouvés de l'aéroport : (089) 97 52 13 70.

8 Sécurité en montagne
Pour suivre un sentier de randonnée, il est indispensable de se munir de bonnes chaussures, de vêtements et d'un équipement adéquats, et de se renseigner sur les prévisions météorologiques. En hiver, informez-vous sur les risques d'avalanche. Une bonne précaution consiste à prévenir, avant le départ, de l'heure du retour prévue. La couverture du réseau de téléphone portable est assez bonne.
✆ Service d'assistance en montagne (Bergrettung Bayern) : 19 222.

9 Renseignements routiers
La station de radio Bayern 3 diffuse des informations sur les conditions de circulation. Il est possible de se renseigner sur l'état des routes auprès de l'ADAC, l'automobile-club allemand. ✆ Service d'assistance de l'ADAC : (01 80) 2 22 22 22.

10 Femmes seules
Nul besoin d'un chevalier servant pour se sentir à l'aise à Munich, à condition de prendre les précautions d'usage (par exemple, ne pas laisser entrer des étrangers dans sa chambre). Certains parcs de stationnement disposent de places bien éclairées et réservées aux femmes.

Si vous avez besoin d'un remorquage, composez le (089) 747 1000 (Abschleppdient).

Gauche **LEGOLAND** Centre **Randonnée dans le Tölzer Land** Droite **Place réservée aux handicapés**

10 Familles, seniors et handicapés

1 Réductions

Les enfants et les personnes âgées bénéficient de tarifs réduits pour de nombreux sites de visite et rencontres sportives de l'Olympiapark. La *City Tour Card*, disponible dans les offices de tourisme, ainsi que les forfaits de transports publics de un ou trois jours existent en version familiale (p. 134).
⊛ *www.muenchen.de et www.citytourcard.de*

2 Activités pour enfants

L'office de tourisme municipal, le Tourismusamt München, vous renseignera sur les nombreuses options offertes aux jeunes pendant l'été.
Le Bayerische Schlösserverwaltung leur propose, pour 2 €, des visites guidées des châteaux, dont la Residenz, le Schloss Nymphenburg et le Schloss Schleißheim.
⊛ *Tourismusamt München, Sendlinger Str. 1, (089) 23 39 65 00 • Bayerische Schlösserverwaltung, (089) 17 90 84 44.*

3 Restaurants accueillants avec les enfants

Beaucoup de restaurants possèdent des rehausseurs et servent des portions ou des menus enfants. Les Munichois apprécient les *Biergarten* en famille.

4 Seniors

Les personnes âgées de plus de 65 ans bénéficient de nombreuses réductions. Elles ont aussi accès à des activités sportives, des randonnées, des visites guidées et des excursions adaptées.
⊛ *www.seniorenbuero.de*

5 Pavés

Plusieurs zones de Munich ont conservé leur pavage d'antan, ce qui rend difficiles les déplacements en fauteuil roulant.

6 Transports publics (MVV)

Les stations de S-Bahn et de U-Bahn, ainsi que les arrêts de tramway sont, pour la plupart, accessibles en fauteuil roulant. Un panneau signale le bus doté d'un essieu surbaissé et d'une rampe d'accès. Beaucoup de stations des transports publics possèdent des toilettes spécialement équipées. Des plans « libre sans barrières » sont disponibles aux billetteries de la MVV et sur son site Internet.

7 Visites guidées pour handicapés

Le Tourismusamt München propose aux malentendants des visites guidées de la ville, assurées par des personnes formées au langage des signes international. Des opérateurs comme *Weis(s)e Stadtvogel* et

Stattreisen München e.V. organisent aussi des visites pour handicapés.
⊛ *Tourismusamt München, Sendlinger Str. 1, (089) 23 39 65 00 • Weis(s)er Stadtvogel München, (089) 29 16 97 65*
• *Stattreisen München e.V., (089) 54 40 42 30.*

8 Organismes d'aide aux handicapés

Le Club Behinderter und ihrer Freunde (Club des handicapés et de leurs amis) renseigne sur les équipements des cinémas, des théâtres et des musées. Le VDK Bayern permet de louer des fauteuils roulants.
⊛ *CBF, (089) 3 56 88 08 ; www.cbf-muenchen.de*
• *VDK Bayern, (089) 21 17 172 ; www.vdk.de*

9 Hôtels faciles d'accès

Beaucoup d'hôtels de Munich occupent des bâtiments anciens et difficiles à adapter. Ils sont donc peu nombreux à répondre aux besoins des personnes se déplaçant en fauteuil roulant. Renseignez-vous avant de réserver.

10 Renseignements pour handicapés

La brochure *Munich for Tourists with Disabilities* est disponible aux kiosques de la Marienplatz et de la Hauptbahnhof. L'office de tourisme l'envoie aussi par courrier.
⊛ *tourismus@muenchen.de*

L'association des malentendants a son siège au n° 11 Lohengrinstraße : (089) 99 26 98 0.

Gauche **Assiette de** *Weißwurst* Centre **Heure de pointe à Munich** Droite **Pendant l'Oktoberfest**

⏱10 À éviter

1 La Weißwurst après midi

La *Weißwurst* est une saucisse à la viande de veau très périssable. Elle était jadis consommée en en-cas dans la matinée et gardée dans l'eau bouillante jusqu'à midi. Une règle tacite est restée : ne jamais manger de *Weißwurst* après 12 h. Malgré les progrès de la réfrigération, la tradition reste respectée.

2 Les excès de Bockbier

En saison, il est tentant de succomber à la *Starkbier* ou *Bockbier,* mais avec un degré d'alcool de 6,5° à 7,5° il est très difficile de la « consommer avec modération », surtout dans une ville où la bière est servie au litre.

3 Confondre bavarois et allemand

Même si vous parlez l'allemand, le dialecte local vous donnera du fil à retordre. Par exemple, les petits pains appelés partout en Allemagne *Brötchen* deviennent des *Semmeln* en Bavière, et la *Weizenbier* (bière blanche) se transforme en *Weißbier*.

4 Les cyclistes et rollers

Munich est une ville qui accorde une large place au vélo. Mais tous les cyclistes ne se montrent pas respectueux des règles de conduite, voire de politesse. Certains foncent sur les trottoirs, prennent des sens interdits ou tournent brusquement sans prévenir. Les gens à rollers ne se conduisent pas toujours mieux.

5 L'alcool au volant

Comme en France, il est interdit de conduire avec un taux d'alcoolémie de plus de 0,5 g/l. Or, un *Maß* de bière, même légère, suffit pour dépasser amplement ce seuil. La police effectue des contrôles réguliers.

6 Les heures de pointe

Sans même tenir compte des difficultés de stationnement en centre-ville, conduire à l'intérieur de l'*Altstadtring* (boulevard périphérique) aux heures de pointe n'a rien d'amusant. Depuis les sites Park+Ride *(p. 135)*, les transports publics vous conduiront à destination bien plus rapidement.

7 Les pickpockets

Dans les lieux publics fréquentés, quelques précautions de bon sens s'imposent : ne pas garder son portefeuille dans une poche arrière, éviter les « sacs banane » et garder son sac à main contre soi. À la gare, à l'aéroport et dans les transports en commun, ne perdez pas vos bagages de vue.

8 Les infractions de stationnement

Mieux vaut respecter la réglementation, notamment dans les zones où le stationnement est réservé aux résidents dotés d'un permis. Les contrôles sont fréquents, en particulier dans le centre. Les agences de location de voitures facturent les amendes impayées, et celles-ci sont exigibles dans toute l'Union européenne. Le coût d'une mise en fourrière est extrêmement élevé.

9 Les taxis pendant l'Oktoberfest

Il est très difficile de trouver un taxi au Nouvel An et durant l'Oktoberfest, qui débute à la mi-septembre. Pendant cette fête, il arrive aux chauffeurs de refuser des passagers montrant des signes d'ébriété.

10 Manquer de prévoyance pour l'Oktoberfest

Trouver au pied levé un hébergement à Munich pendant l'Oktoberfest et les grandes foires commerciales *(Messen)*, tient de la gageure. Même les hôtels de luxe affichent complet. Réservez le plus tôt possible. Si vous devez arriver après 17 h, prévenez la réception pour que l'on vous garde votre chambre.

Si votre voiture a été mise en fourrière, composez le (089) 42 93 01.

Gauche **Stadtmuseum** Centre **Marchand de kebabs dans le Westend** Droite **Marché aux puces**

TOP 10 Munich bon marché

1 Musées gratuits

Le dimanche, l'entrée dans tous les musées de l'État de Bavière et de Munich, dont le Bayerische National-museum coûte 1 €. Les collections permanentes du Münchner Stadtmuseum *(p. 36)* sont gratuites.

2 Manger sur le pouce

De très nombreux kiosques proposent un large choix de snacks et de plats à emporter : saucisses, pizzas, kebabs, spécialités turques ou extrême-orientales… Certains permettent, en outre, de s'installer à une table ou au comptoir. La *Suppenküche* (« cuisine de soupes ») du Viktualienmarkt est devenue une véritable institution à Munich.

3 Restaurants bon marché

Les auberges et brasseries traditionnelles servent des spécialités locales à des prix généralement très raisonnables. Dans la plupart des restaurants, gastronomie compris, les menus à prix fixe du déjeuner sont toujours avantageux.

4 Hébergement

Il revient moins cher de se loger en périphérie que dans le centre. En famille ou en groupe, et pour un séjour d'au moins quelques jours, la location d'un appartement devient une option intéressante *(p. 149)*. Le camping de Thalkirchen, près du zoo *(p. 107)*, est accessible en transport en commun.
- *Campingplatz München-Thalkirchen*
- *Zentralländstr. 49*
- *(089) 7 23 17 07*
- *www.munich-info.de*

5 Transports publics

Pour voyager en centre-ville et dans les environs, les visiteurs disposent d'un éventail de forfaits avantageux. La *City Tour Card* combine le trajet et l'entrée dans différents musées. Elle est valable pour la journée ou pour deux ou trois jours. Elle est vendue à l'office de tourisme, dans les kiosques MVV et aux machines automatiques. La *Tageskarte* permet de circuler une journée entière, et la carte de trois jours est bien adaptée pour un week-end. Ces cartes existent aussi en formule *Partner*. Cinq personnes peuvent en profiter en même temps. Les moins de six ans circulent gratuitement.
- *www.citytourcard.com*

6 Tarifs réduits sur les spectacles

Juste avant la représentation, les billetteries des salles de spectacle proposent des places à tarif réduit aux étudiants et aux seniors.

7 Marchés aux puces

Les marchés aux puces et les trois Auer Dulten *(p. 52)* se prêtent à une flânerie distrayante et à la recherche de souvenirs peu coûteux. On peut y dénicher des trésors.

8 Concerts gratuits

Les élèves de la *Hochschule für Musik*, conservatoire réputé, (Arcisstr. 12), donnent d'excellents concerts en juillet. Le Theatron de l'Olympiapark et le PfingstOpenAir *(p. 47)* sont gratuits.
- *Conservatoire (programmes et horaires) : (089) 289 27 442 • www.theatron.de*

9 Visites

Depuis la Karlsplatz (Stachus), les trams n° 18 et 19 parcourent de beaux endroits de la ville.

10 Journées portes ouvertes et longues nuits

Presque toutes les attractions et institutions organisent chaque année une journée portes ouvertes, généralement gratuite. L'office de tourisme vous renseignera sur les dates et les programmes. Des dizaines de sites publics et privés participent aux « longues nuits » *(Lange Nächte)* de la musique et des musées. Des bus assurent des navettes jusqu'au matin.

Gauche **Lederhose** Centre **Porcelaine de Nymphenburg** Droite **Peinture sous verre**

🔟 Qu'acheter

1 Nymphenburger Porzellan

De la statuette au service de table, toute la production de la manufacture de porcelaine du Schloss Nymphenburg (p. 12) reprend des modèles historiques. La finesse du travail justifie les prix. ❧ *Porzellanmanufaktur Nymphenburg, Odeonsplatz 1 • plan L3.*

2 Chocolats d'Elly Seidl

Les connaisseurs assurent que les bouchées au chocolat et autres gourmandises vendues dans la boutique d'Elly Seidl surpassent les créations des concurrents belges. Essayez les truffes au champagne. ❧ *Maffeistr. 1 et Am Kosttor 2 • plan L4 et M4.*

3 Costumes traditionnels

Des matériaux nobles, comme le cuir, la dentelle et le loden, servent à la confection des vêtements et accessoires des tenues folkloriques. Ces derniers sont coûteux, mais ils constituent des souvenirs typiques. Robes, ceintures, chapeaux et écharpes se révéleront sans doute plus faciles à porter que le légendaire *Lederhose*, réputé inusable. ❧ *Loden Frey, Maffeistr. 7-9 • plan L4 • Angermaier, Rosental 10 • plan L5.*

4 Boutiques des musées

Les musées vendent des affiches, des copies d'œuvres et objets d'art, des éditions limitées et des créations de stylistes liées à leurs propres collections et à celles d'autres institutions.

5 Chopes à bière

Du simple verre au pichet à couvercle en étain et corps en porcelaine émaillée, le choix est immense chez les antiquaires, dans les grands magasins de la zone piétonnière et dans les vitrines situées derrière la Frauenkirche. Dans une taverne traditionnelle, vous pouvez demander à acheter un verre aux couleurs de la brasserie.

6 Jouets

La boutique du Deutsches Museum propose des jouets hors du commun : toupies, jeux de construction, maquettes, robots, balles en forme d'atomes… Le Deutsches Museum possède une autre boutique sur Rindamarkt (p. 8-9).

7 Épicerie fine

Avec ses homards vivants et ses crabes dans la fontaine, Allois Dallmayr est une institution. Les espaces dédiés au café, aux gâteaux, à l'huile d'olive et aux ustensiles de cuisine font le bonheur des amateurs (p. 83).

8 Vaisselle d'Oskar Maria

Les amoureux de la littérature allemande trouveront des tasses et des soucoupes fabriquées par Dukatz portant des citations pleines d'esprit de l'auteur bavarois Oskar Maria Graf, au café OskarMaria ❧ *OskarMaria, Salvatorplatz 1 • plan L3.*

9 Peinture sous verre et art religieux

La peinture sous verre à thème religieux compte parmi les artisanats typiques de la région de Murnau (p. 118). Les sculpteurs sur bois d'Oberammergau sont réputés pour les santons de la crèche. Les antiquaires et les commerces spécialisés proposent un large éventail d'objets religieux et d'art populaire.

10 Articles de supporters de football

Les boutiques des deux équipes adverses de Munich se font pratiquement face, près de la Hofbräuhaus. Casquettes, maillots, mascottes… Elles proposent tout ce dont peut rêver un passionné. Même les femmes et les bébés ne sont pas oubliés. ❧ *FC-Bayern-Shop, Orlandostr. 1 (Am Platzl) • Fan-Shop TSVMünchen 1860, Orlandostr. 8 (Am Platzl) • plan M4.*

Les Auer Dulten *(foires du quartier d'Au)* et les marchés aux puces permettent des acquisitions à petits prix, **p. 52-53.**

Gauche **Dallmayr** Centre **Soldes au grand magasin Karstadt** Droite **Hieber am Dom**

TOP 10 Comment acheter

1 Heures d'ouverture

En ville, la plupart des commerces ouvrent de 9 h à 20 h du lundi au samedi. Les administrations, les banques et les bureaux de poste ferment plus tôt, en général à 16 h, 17 h ou 18 h. La veille de Noël et du jour de l'An, peu d'établissements restent ouverts au-delà de midi. Dans les petites localités, vous risquez de trouver porte close dès 17 h en semaine et 12 h le samedi et le mercredi.

2 Soldes et promotions

Les soldes d'hiver et d'été subissent la concurrence d'opérations de promotion menées tout au long de l'année par de nombreuses enseignes. Surveillez les panneaux annonçant *Rabatt* (remise) ou *Sonderverkauf* (vente exceptionnelle). Rares sont les boutiques où les prix indiqués sur les étiquettes sont négociables. En revanche, le marchandage fait partie des plaisirs offerts par les marchés aux puces.

3 Cartes bancaires

Les paiements par Euro/MasterCard et, dans une moindre mesure, par carte Visa, sont acceptés à peu près partout hormis dans les établissements les plus petits. Pour les autres cartes, mieux vaut se renseigner.

4 Protection du consommateur

Tout problème lié à la consommation (un litige sur un article défectueux, par exemple) relève de l'autorité du Landratsamt, l'administration de la collectivité locale. Vous pouvez aussi contacter l'antenne munichoise de l'association des consommateurs.
🕲 *Landratsamt München, Mariahilfplatz 17, plan F6-G6, (089) 62 21-23 28 et 62 21-28 17*
• *Verbraucherzentrale München, Mozartstr. 9, plan E5, (089) 53 98 70.*

5 Taxe à la valeur ajoutée

Inclue dans le prix affiché, la *Mehrwertsteuer* s'élève à 16 %. Les résidents d'un pays n'appartenant pas à l'Union européenne peuvent en obtenir le remboursement pour des achats dépassant une certaine valeur.

6 Échanges

Un magasin ne peut vous refuser le remboursement ou, au moins, l'échange d'un article défectueux qui n'a pas été acheté en solde.

7 Prêt-à-porter

Les boutiques de mode sont regroupées dans les grands quartiers commerçants comme, dans le centre, la zone piétonne, la Sendlinger Straße, la Maximilian-straße et la Theatiner-straße et, à Schwabing, la Leopoldstraße et les environs de l'université (p. 66).

8 Musique

En complément des succursales de chaînes nationales comme WOM, Saturn et MediaMarkt et des rayons spécialisés des grands magasins, il existe à Munich d'intéressants disquaires indépendants, comme Hieber am Dom (Liebfrauenstr. 1), qui vend aussi des partitions. Ludwig Beck am Rathauseck *(p. 83)* se distingue par sa sélection d'albums de jazz, de blues, de classique et de world music.

9 Livres

La chaîne Hugendubel a sa principale antenne sur la Marienplatz. Le quartier de l'université renferme de nombreuses librairies indépendantes vendant, pour certaines, des ouvrages en langues étrangères. Les amateurs de livres anciens iront chez Kitzinger *(p. 91).*

10 Magasins d'usine

La vogue des *Fabrikverkäufe* commence à prendre à Munich. La plupart ont ouvert en périphérie, mais vous en trouverez certains dans le centre de Munich.
🕲 *Classic Outlet, Leopoldstr. 20, plan M1*
• *Replay Outlet, Hofmannstr. 7a[* (Sendling).

Gauche **Ratskeller** Droite **Hotel Residenz**

À l'hôtel et au restaurant

1 Réserver une chambre

Les hôtels acceptent les réservations par courriel, téléphone, fax ou lettre. De 8 h à 19 h, du lundi au vendredi, et de 10 h à 18 h le samedi, vous pouvez aussi passer par l'office de tourisme. Il ne prélève pas de commission.
Ⓢ *Tourismusamt München* • *(089) 39 65 00.*

2 Classification des hôtels

Le nombre d'étoiles dépend des prestations fournies. Les prix varient selon la période de l'année et atteignent leur maximum pendant l'Oktoberfest. Ils incluent généralement le petit déjeuner. Beaucoup d'établissements proposent des offres spéciales le week-end ou en basse saison. L'Internet offre un bon moyen de dénicher des promotions.

3 Choisir un hôtel

Les tarifs indiqués dans les diverses sections de ce guide correspondent à des prix moyens (p. 144). Les hôtels sont en général plus onéreux dans la capitale bavaroise que dans le reste de l'État. Il est toutefois possible de trouver à Munich des options meilleur marché : auberges de jeunesse, appartements, chambres d'hôtes ou chez l'habitant (p. 148).

4 Réserver une table

Mieux vaut réserver dans les restaurants gastronomiques et les établissements les plus populaires, en particulier le week-end. Seul ou en couple, il n'est pas nécessaire d'attendre d'être placé dans une taverne traditionnelle. Il est même habituel de s'installer à une table déjà en partie occupée (après avoir demandé si les places sont libres). Un panneau avec l'inscription *Stammtisch* signale une table réservée.

5 Pourboire

Dans les restaurants, les prix comprennent le service (environ 12 %) et les taxes (environ 7 %), mais il est d'usage de laisser un pourboire, pouvant aller jusqu'à 10 % de la note.

6 Horaires

Tous les restaurants ne servent pas au déjeuner. Le service commence généralement le soir vers 18 h et peut durer jusque bien après minuit. Les *Biergarten* ferment à 23 h.

7 Cuisine bavaroise

Les auberges tradition-nelles et les brasseries (p. 50) sont les meilleurs endroits pour découvrir les spécialités locales. Essayez la *Weißwurst* (saucisse de

viande de veau cuite à l'eau) servie avec de la moutarde sucrée et un bretzel, le *Schweinshaxen* (jarret de porc grillé) ou le *Schweinebraten* (rôti de porc) accompagné de chou rouge et de *Knödeln* (boulettes de pommes de terre). Les poissons d'eau douce pêchés localement, comme la truite *(Forelle)* ou le corégone *(Renke),* sont en général excellents. Le *Brotzeit* (casse-croûte), du pain et une assiette de charcuterie, de fromage et de radis, est le plat le plus populaire dans les jardins à bière.

8 Grande cuisine

La capitale bavaroise abrite certaines des meilleures tables gastronomiques d'Europe (p. 64).

9 Autres cuisines

Munich renferme de nombreux restaurants ethniques. Ceux-ci invitent au voyage culinaire, de l'Afrique du Nord à la Polynésie.

10 Étiquette

Avoir une tenue conforme au standing de l'établissement est utile. Dans un restaurant de luxe, la cravate est rarement nécessaire. mais le port de la veste est recommandé aux hommes. La décontraction règne dans les brasseries et les *Biergarten.*

Accès en fauteuil roulant aux hôtels et restaurants **p. 138.**

Gauche et centre **Chambre et salon du Königshof** Droite **Bayerischer Hof**

TOP 10 Hôtels de luxe

1 Mandarin Oriental

Ce cinq-étoiles historique proche de la Maximilianstraße loue 53 chambres et 20 suites. La terrasse et la piscine du toit ménagent une vue spectaculaire. Le restaurant Mark's est l'une des grandes tables de la ville. ✪ Neuturmstr. 1 • plan M4 • (089) 29 09 80 • www.mandarinoriental.com • €€€€€.

2 Le Méridien

Ce grand hôtel d'une chaîne d'origine française est situé à proximité de la gare. Il renferme 381 chambres et suites, deux restaurants, un bar et un centre de remise en forme. ✪ Bayerstr. 41 • plan J4 • (089) 242 20 • www.starwoodhotels.com • €€€€€.

3 Munich Sofitel Bayerpost

La façade historique d'une ancienne poste cache un édifice moderne au décor intérieur contemporain. Celui-ci peut accueillir jusqu'à 750 personnes en congrès et possède un vaste Spa. ✪ Bayerstr. 12 • plan J4 • (089) 59 94 80 • www.accorhotels.com • €€€€€.

4 Kempinski Hotel Vier Jahreszeiten

Cet hôtel, ouvert sur la Maximilianstraße en 1858, est doté de tout le confort moderne, d'une piscine couverte et d'équipements de remise en forme, mais il a conservé son cachet original. ✪ Maximilianstr. 17 • plan M4 • (089) 212 50 • www.kempinski-vierjahreszeiten.de • €€€€€.

5 Königshof

Ce palace propose 74 chambres et 13 suites meublées avec un grand souci du détail. Il domine Stachus, une place animée. Son restaurant compte parmi les meilleurs de la ville. ✪ Karlsplatz 25 • plan J4 • (089) 55 13 60 • www.geisel-privathotels.de • accès limité en fauteuil roulant • €€€€€.

6 Maritim Hotel

Près de la gare centrale, le somptueux Maritim renferme 339 chambres et onze suites. Ses neuf salles de conférences peuvent accueillir jusqu'à 550 personnes. ✪ Goethestr. 7 • plan E5 • (089) 55 23 50 • www.maritim.de • €€€€€.

7 Bayerischer Hof

La même famille tient depuis un siècle cette vénérable institution à Munich, ouverte en 1841 à l'instigation de Louis Ier. Elle compte 395 chambres et suites, chacune ayant son propre style. L'édifice historique abrite, en outre, 40 salles de conférences et de réception, un piano-bar, un club de jazz (p. 59) et trois restaurants. Il y a une piscine sur le toit. ✪ Promenadeplatz 2-6 • plan K4-L4 • (089) 2 12 00 • www.bayerischerhof.de • accès en fauteuil roulant limité • €€€€€.

8 Excelsior

Cet établissement de standing est proche de la Hauptbahnhof et de la zone piétonnière. Tout amateur de vins fins se doit de découvrir la carte de la vinothèque. ✪ Schützenstr. 11 • plan J4 • (089) 55 13 70 • www.geisel-privathotels.de • €€€€€.

9 Hilton Munich Park

L'un des deux Hilton de Munich jouit d'une situation à la fois calme et centrale, en bordure de l'Englischer Garten. Il dispose de 46 chambres et suites, et ses salles de conférences peuvent accueillir jusqu'à 1 600 personnes. Le restaurant Tivoli propose des buffets à thème. ✪ Am Tucherpark 7 • plan G3 • (089) 384 50 • www.hilton.de • €€€€€.

10 Palace

Près du Prinzregententheater, le Palace possède 74 chambres et suites, un restaurant et un jardin. Le centre de remise en forme et le sauna ouvrent sur la terrasse du toit. ✪ Trogerstr. 21 • plan H5 • (089) 41 97 10 • www.daspalace.de • €€€€€.

Tous les hôtels acceptent les cartes bancaires. Sauf indication contraire, ils ne disposent pas d'accès en fauteuil roulant.

Catégories de prix

Prix par nuit pour
une chambre double
avec petit déjeuner
(s'il est inclus), taxes
et service compris.

€ moins de 60 €
€€ 60 €-100 €
€€€ 100 €-150 €
€€€€ 150 €-200 €
€€€€€ plus de 200 €

Gauche et droite **Entrée et chambre de l'Hilton Munich City**

10 Hôtels d'affaires

1 Hilton Munich City

Cet hôtel, juste à côté du Gasteig, possède 480 chambres et suites, toutes d'une superficie minimale de 25 m² et équipées d'un fax et d'une connexion Internet sans fil. Les salles de conférences peuvent accueillir jusqu'à 550 personnes.
◈ *Rosenheimer Str. 15*
• *plan N6* • *(089) 480 40*
• *www.hilton.de*
• *€€€€-€€€€€.*

2 Holiday Inn Munich-City Centre

En face du Gasteig, l'ancien Forum Hotel München offre de belles vues depuis la rive de l'Isar. Il dispose de 582 chambres, rénovées, de 14 salles de conférences et de deux restaurants. ◈ *Hochstr. 3*
• *plan N6* • *(089) 480 30*
• *www.ichotelsgroup.com*
• *€€€€-€€€€€.*

3 Arabella Sheraton Grand Hotel

L'immeuble possède 22 étages, dont trois réservés à l'espace de conférences aménagé pour des groupes de 5 à 1 250 personnes. Il y a 643 chambres bien équipées, un restaurant gastronomique, un centre de remise en forme et une piscine couverte.
◈ *Arabellastr. 6*
• *(089) 92640* • *www. arabellasheraton.com*
• *€€€-€€€€€.*

4 Hotel Ibis München

Les chambres sont propres et calmes, et les lits sont confortables. L'établissement est idéal pour un séjour en famille.
◈ *Dachauerstr. 21*
• *plan J3* • *(089) 55 19 30*
• *www.accorhotels.com*
• *AH* • *€€€-€€€€€.*

5 Marriott Hotel München

Cet établissement de chaîne, proche de l'Allianz Arena, fournit toutes les prestations d'un hôtel d'affaires. ◈ *Berliner Str. 93* • *plan G1* • *(089) 36 00 20* • *www.marriott.com*
• *accès limité en fauteuil roulant* • *€€€-€€€€€.*

6 Eden-Hotel-Wolff

En face de la gare centrale, ce quatre-étoiles datant de 1890 propose 24 chambres meublées avec sobriété. La réception mettra un point d'honneur à vous obtenir une place pour un spectacle. ◈ *Arnulfstr. 4*
• *plan E4* • *(089) 55 11 50*
• *www.ehw.de*
• *€€€€-€€€€€.*

7 InterCityHotel München

Installé dans un édifice ferroviaire historique de cinq étages, ce quatre étoiles loue 198 chambres insonorisées et huit salles de réunion.
◈ *Bayerstr. 10*
• *plan J4* • *(089) 44 44 0*
• *www. intercityhotel.de*
• *accès limité en fauteuil roulant* • *€€€-€€€€€.*

8 NH München Neue Messe

À 6 km du centre, près du palais des Expositions, cet établissement moderne propose 253 chambres confortables. Certaines sont adaptées aux besoins des personnes handicapées. Il possède un restaurant, un café, un sauna et neuf salles de conférences.
◈ *Eggenfeldener Str. 100*
• *(089) 99 34 50*
• *www.nh-hotels. com*
• *€€€-€€€€€.*

9 Kempinski Hotel Airport München

Ce luxueux cinq-étoiles à l'architecture ambitieuse est doté d'un atrium, planté de palmiers hauts de 20 m. Les voyageurs en déplacement d'affaires disposent, dans l'aéroport, de 389 chambres et suites parfaitement équipées, de deux restaurants et d'un grand Spa où se détendre.
◈ *Terminalstr./ Mitte 20*
(089) 978 20 • *www. kempinski-airport.de* • *AH*
• *€€€€-€€€€€.*

10 Mövenpick Hotel München-Airport

À quelques minutes de route de l'aéroport, ce quatre-étoiles ultramoderne abrite 165 chambres insonorisées, 17 salles de conférences et un hammam. ◈ *Hallberg-moos, Ludwigstr. 43*
• *(0811) 88 80* • *www moevenpick-munich.com*
• *AH* • *€€€-€€€€€.*

Renseignements sur les hôtels accessibles aux handicapés p.138. 145

Gauche **Hotel Astor** Centre et droite **Hotel Königswache**

TOP 10 Hôtels de milieu de gamme

1 Hotel Euro-päischer Hof

Cet établissement en face de la gare principale compte 148 chambres. Le petit déjeuner est servi sous forme de buffet. Parking souterrain, formules pour les familles, et animaux autorisés.
§ *Bayerstr. 31*
• *plan J4*
• *(089) 55 15 10*
• *www.heh.de* • *€€€-€€€€.*

2 Alpen-Hotel-München

Près de la zone piétonnière, la même famille tient depuis trois générations ce quatre-étoiles, dont toutes les chambres disposent d'un accès Internet. La Stefans Gasthaus propose des spécialités bavaroises et internationales. § *Adolf-Kolping Str. 14* • *plan J4*
• *(089) 55 93 30* • *www. alpenhotel-muenchen.de*
• *accès partiel en fauteuil roulant* • *€€-€€€€.*

3 Hotel Astor

Dans ce quatre-étoiles de 46 chambres proche de la gare, les prestations fournies incluent la télévision par câble et la connexion à Internet sans fil. Le Bistro Nozzi, avec sa cheminée, offre un cadre chaleureux à la dégustation de plats italiens. § *Schillerstr. 24*
• *plan J5* • *(089) 54 83 70*
• *www.hotel-astor.de*
• *accès limité en fauteuil roulant* • *€€-€€€€.*

4 Art Hotel Munich

Dans un bel édifice Art nouveau, l'Art Hotel dispose de 110 chambres au confort d'un trois-étoiles. L'établissement est à 5 min à pied des stations de métro et de S-Bahn de la gare principale.
§ *Paul-Heyse-Str. 10*
• *plan E5* • *(089) 53 98 20*
• *www.arthotelmunich.com*
• *accès limité en fauteuil roulant* • *€€€-€€€€.*

5 Hotel Senefelder

Les 70 chambres de cet hôtel situé près de la gare possèdent un décor moderne, et les hôtes disposent d'un parking. Le petit déjeuner est servi jusqu'à 11 h.
§ *Senefelderstr. 4 (près de la Bayerstr.)* • *plan J4*
• *(089) 55 15 40* • *www. fair-hotels.de* • *€€-€€€.*

6 Hotel Leopold

Dans ce trois-étoiles familial au cœur de Schwabing, les quelque 75 chambres, d'un excellent confort donnent presque toutes sur le ravissant jardin. Des lits avec literie antiallergique sont fournis sur demande. § *Leopoldstr. 119* • *plan G2* • *(089) 36 70 61* • *www. hotel-leopold-muenchen.de*
• *accès limité en fauteuil roulant* • *€€€-€€€€.*

7 Hotel Königswache

Ce petit hôtel trois étoiles est installé près des trois pinacothèques

et de la station de métro Theresienstraße. Toutes ses chambres disposent d'une connexion Internet.
§ *Steinheilstr. 7* • *plan J2*
• *(089) 542 75 70* • *www. koenigswache.de* • *€€€.*

8 Hotel Laimer Hof

À quelques pas du Schloss Nympenburg, cette villa de rêve dispose de 26 chambres spacieuses et d'un personnel efficace. Les chambres dans la tour séduisent les couples en voyage de noces.
§ *Laimerstr. 40* • *plan B3*
• *(089) 17 70 30* • *www. laimerhof.de* • *accès limité en fauteuil roulant* • *€€-€€€.*

9 Hotel Herzog

Il est situé près de la station de U-Bahn « Goetheplatz ». Les 80 chambres, aménagées sobrement, possèdent pour la plupart un balcon donnant sur le jardin. Bon rapport qualité/prix.
§ *Häberlstr. 9* • *plan E6*
• *(089) 59 99 39 01*
• *www.hotel-herzog.de*
• *€€-€€€.*

10 Hotel Uhland

Ce ravissant petit hôtel familial, situé dans une banlieue verdoyante, près des jardins où se déroule l'Oktoberfest, a beaucoup de caractère. Les chambres ont un décor personnalisé (*waterbed* dans l'une d'elles). § *Laimerstr. 40*
• *plan B3* • *(089) 54 33 50*
• *www.hotel-uhland.de*
• *AH* • *€€-€€€.*

Tous les hôtels acceptent les cartes bancaires. Sauf indication contraire, ils ne disposent pas d'accès en fauteuil roulant.

Catégories de prix

Prix par nuit pour une chambre double avec petit déjeuner (s'il est inclus), taxes et service compris.

€ moins de 60 €
€€ 60 €-100 €
€€€ 100 €-150 €
€€€€ 150 €-200 €
€€€€€ plus de 200 €.

Gauche **Cour de l'Hotel Opéra** Droite **Bar du Cortiina**

TOP 10 Hôtels de charme

1 Advokat
Cet établissement occupe un ancien immeuble de bureaux. Il est situé près de l'Isartor, entre le Viktualienmarkt et le Deutsches Museum. Le décor contemporain et minimaliste joue de chaudes couleurs. La terrasse, sur le toit, ménage un beau panorama sur la vieille ville. ◈ *Baaderstr. 1 • plan M5 • (089) 21 63 10 • www. hotel-advokat.de • €€€€*.

2 Anna Hotel
Avec l'Anna Hotel, la famille Geisel, propriétaire du Königshof et du Cosmopolitan, s'est offert un bijou moderne. La formule « Le design est de l'art sous forme fonctionnelle » a guidé la décoration des chambres et du bar-restaurant ◈ *Schützenstr. 1 • plan J4 • (089) 59 99 40 • www. annahotel.de • accès limité en fauteuil roulant • €€€€-€€€€€*.

3 Hotel Opéra
L'établissement occupe, dans le quartier de Lehel, un édifice de 1898. Chacune des chambres possède son propre décor. Les hôtes se retrouvent à l'apéritif dans la cour néoromane. Gandl, le restaurant gastronomique, fait aussi épicerie fine et cave à vins. ◈ *St.-Anna-Str. 10 • plan N4 • (089) 210 49 40 • www.hotel-opera.de • €€€€-€€€€€*.

4 Hotel Gästehaus Englischer Garten
En bordure de l'Englischer Garten, un bâtiment historique abrite 25 chambres aménagées avec goût. Le petit déjeuner est servi sur la terrasse. Une annexe renferme des appartements. ◈ *Liebergesellstr. 8 (Ecke Keferstr.) • plan G2 • (089) 3 83 94 10 • www. hotelenglischergarten.de • €€-€€€*.

5 Prinzregent am Friedensengel
Cet établissement de standing meublé d'antiquités respecte le style traditionnel des maisons bourgeoises bavaroises. ◈ *Ismaninger Str. 42-44 • plan P4 • (089) 41 60 50 • www.prinzregent.de • €€€€-€€€€€*.

6 Ritzi
Le décor personnalisé des chambres, très réussi, joue d'influences exotiques ou décline une couleur dominante. Style Art déco dans les pièces communes. ◈ *Maria TheresiaStr. 2a • plan P4 • (089) 414 24 08 90 • www.hotel-ritzi.de • €€€€-€€€€€*.

7 Prinz
Au-dessus de l'Isar près du Gasteig, ce petit hôtel loue des chambres spacieuses offrant, pour la plupart, une jolie vue sur la ville. Il accueille régulièrement des expositions d'art. ◈ *Hochstr. 45 • plan N6 • (089) 441 40 80 • www. hotel-prinz.de • €€€-€€€€*.

8 Romantikhotel Insel Mühle
Un moulin datant de 1445 et des chambres rustiques aux boiseries claires créent un cadre idéal pour une escapade sentimentale. Le murmure du ruisseau accompagne le repas sur la terrasse. ◈ *München-Untermenzing, Von-Kahr-Str. 87 • (089) 8 10 10 • www. insel-muehle.com • accès limité en fauteuil roulant • €€€€-€€€€€*.

9 Splendid-Dollmann
À courte distance à pied de la Maximilianstraße, dans le quartier de Lehel, cet hôtel occupe un immeuble du XIXe s. Les pièces communes sont décorées de tableaux et d'antiquités. ◈ *Thierschstr. 49 • plan N4 • (089) 23 80 80 • www. hotelsplendiddollmann.de • €€€-€€€€*.

10 Cortiina Hotel
Au cœur de la vieille ville, le Cortiina conjugue sobriété et personnalité. Bois, pierre, textiles et cuir créent une atmosphère reposante dans les 33 chambres et dans les pièces communes. Le bar attire, le soir, une clientèle sophistiquée. ◈ *Ledererstr. 8 • plan L4 • (089) 2 42 24 90 • www.cortiina.com • €€€€-€€€€€*.

Renseignements sur les hôtels accessibles aux handicapés p. 138.

147

Gauche et centre **Hotel Jedermann** Droite **Hotel Blauer Bock**

📷10 Hôtels bon marché

1 Pension Hotel Monaco

Cette petite merveille est une oasis de calme au cœur du quartier de Ludwigsvorstadt. La décoration raffinée mêle lits à baldaquins et lampes Art déco. Toutes les chambres sont équipées de téléviseurs à écran plat. 🔊 *Schillerstr. 9* • *plan J4* • *(089) 545 99 40* • *www. hotel-monaco.de* • *€-€€€*.

2 Hotel Eder

Ce charmant petit établissement borde une rue paisible près de la gare principale. Les 30 chambres possèdent douche, W.-C., téléphone et télévision. 🔊 *Zweigstr. 8* • *plan J4* • *(089) 55 46 60* • *www.hotel-eder.de* • *€€-€€€*.

3 Hotel Blauer Bock

Le Blauer Bock, près du Stadtmuseum, se distingue par l'attention apportée au service. Certaines de ses sept chambres sont non-fumeurs. Animaux domestiques acceptés et places de stationnement à louer. 🔊 *Sebastiansplatz 9 (St.-Jakobs-Platz)* • *plan K4-L4* • *(089) 23 17 80* • *www.hotelblauerbock.de* • *€€-€€€*.

4 Hotel Lex

Un établissement chaleureux qui propose des chambres simples et bien équipées avec connexion Internet.

On peut aussi louer des appartements pour des séjours plus longs. À deux pas du quartier des musées, c'est un bon point de chute pour découvrir Munich. 🔊 *Brienner 48* • *plan K3* • *(089) 54 27 260* • *www.hotel-lex.de* • *€€*.

5 Hotel Jedermann

La famille Jenke veille sur « tout le monde » depuis plus de 40 ans. La situation centrale de l'hôtel et la qualité du service lui valent une grande popularité. La plupart des 55 chambres donnent sur une cour lumineuse. Les autres sont insonorisées. Les hôtes disposent d'un ordinateur à la réception. 🔊 *Bayerstr. 95* • *plan E4-E5* • *(089) 54 32 40* • *www.hotel-jedermann.de* • *€€-€€€*.

6 Hotel-Pension Atlanta

Les chambres de cette pension à l'accueil chaleureux sont simples mais propres. Le quartier, animé, compte de nombreux restaurants. 🔊 *Sendlingerstr 58* • *plan K3* • *(089) 26 36 05* • *www.hotel-atlanta.de* • *€€*.

7 Hotel Olympia

Ce trois-étoiles est proche de la forêt protégée du Forstenrieder Park, dans le sud de Munich. Les 34 chambres, modernes, disposent du téléphone et de la

télévision. Depuis la station de métro située à 250 m, quelques minutes suffisent pour rejoindre le centre. Animaux domestiques acceptés, parc de stationnement et connexion Internet sans fil. 🔊 *Maxhofstr. 23* • *(089) 75 40 63* • *www.hotel-olympia-muc. de* • *€€*.

8 Hotel Aurora

Bien situé, près de l'A8 et de l'A99, ce trois-étoiles n'est qu'à 15 min du centre-ville en S-Bahn. Les 20 chambres disposent de la télévision par câble, de la radio et d'une ligne téléphonique directe. Des ordinateurs sont fournis sur demande. 🔊 *Limesstr. 68a* • *(089) 89 73 69 30* • *www.hotel-garni-aurora.de* • *€€*.

9 Hotel Lämmle

Dans cet hôtel près du Westpark, les 24 chambres, simples et modernes, ont la télévision par câble. Animaux domestiques acceptés et parking. 🔊 *Friedenheimerstr. 137* • *plan B5* • *(089) 57 15 29* • *www.hotellaemmle-muenchen.de* • *€€*.

10 Hotel Royal

Cet hôtel, situé dans le centre de Munich propose 40 chambres insonorisées et meublées avec élégance. 🔊 *Schillerstr. 11a* • *plan J4* • *(089) 59 98 81 60* • *www. hotel-royal.de* • *€€*.

➡️ *Tous les hôtels acceptent les cartes bancaires. Sauf indication contraire, ils ne disposent pas d'accès en fauteuil roulant.*

Catégories de prix

Prix par nuit pour
une chambre double
avec petit déjeuner
(s'il est inclus), taxes
et service compris.

€ moins de 60 €
€€ 60 €-100 €
€€€ 100 €-150 €
€€€€ 150 €-200 €
€€€€€ plus de 200 €.

Gauche **Jugendherberge München** Droite **Chambre au Easy Palace City Hostel**

🔟 Autres hébergements

1 Pension Am Kaiserplatz

Il faut parfois réserver des mois à l'avance l'une des dix chambres de cette charmante et paisible pension, au cœur de Schwabing. La plupart disposent d'une douche mais n'ont pas de W.-C. 🏠 *Kaiserplatz 12* • *plan F2* • *(089) 34 91 90* • *€.*

2 Hotel Mona Lisa

L'hôtel est situé près de l'Englischer Garten, dans le quartier de Lehel. Les sept chambres, au décor personnalisé, sont équipées du téléphone, de la télévison et d'un minibar. Les enfants de moins de 14 ans ne paient pas. 🏠 *Robert-Koch-Str. 4* • *plan N4* • *(089) 21 02 83 80* • *www.hotelmonalisa.de* • *€€.*

3 Pension Greiner

Cette pension, entre l'Englischer Garten et la Leopoldstraße, loue neuf chambres accueillantes disposant presque toutes d'une douche et de W.-C. Le prix comprend un généreux buffet pour le petit déjeuner. 🏠 *Ohmstr. 12* • *plan M1* • *(089) 380 18 80* • *www.pensiongreiner.de* • *€€.*

4 Jugendherberge München-Neuhausen

Cette auberge de jeunesse exige la carte d'adhérent. Proche de la Rot-Kreuz-Platz, à 10 min du centre en U-Bahn. Il y a des sanitaires à chaque étage. Le petit déjeuner est servi sous forme de buffet. Pension ou demi-pension. 🏠 *Wendl-Dietrich-Str. 20* • *plan C3* • *(089) 20 24 44 90* • *www.djh.de* • *€.*

5 Easy Palace City Hostel

Près de la gare centrale, cette auberge de jeunesse indépendante abrite 62 chambres et dortoirs dotés de douches et de W.-C. Possibilité de louer des vélos, d'accéder à Internet et de disposer d'un casier gratuit. 🏠 *Mozartstr. 4* • *plan E5* • *(089) 558 79 70* • *www.easypalace.de* • *accès en fauteuil roulant limité* • *€.*

6 Wombat's City Hostel Munich

Juste à côté de la gare, c'est l'une des meilleures auberges de jeunesse de Munich. Les chambres sont propres, modernes et bien isolées. Une visite guidée de la ville est comprise dans le prix de la chambre. 🏠 *Senefelderstr. 1* • *plan J4* • *(089) 59 98 91 80* • *www.wombats-hostels.com* • *AH* • *€€.*

7 Hotel-Gästehaus im Forum am Westkreuz

À 15 min du centre en S-Bahn, dans le complexe du Forum, qui abrite 28 commerces et deux restaurants, cet établissement loue des studios et des deux-pièces. Presque tous possèdent un balcon ou une terrasse. Le prix inclut l'entretien de l'appartement. 🏠 *Friedrichshafener Str. 17* • *(089) 83 99 00* • *www.gaestehausimforum.de* • *€€-€€€.*

8 Maximilian Apartments

Un édifice à la façade historique abrite des appartements haut de gamme, équipés de la télévision par câble et d'un téléphone. Ménage et blanchisserie font partie des services compris dans le prix. 🏠 *Hochbrückenstr. 18* • *plan M4* • *(089) 24 25 80* • *www.maximilian-munich.com* • *€€€.*

9 Bed & Breakfast München

Cette agence propose des logements à la journée, à la semaine ou au mois, en chambre d'hôte ou chez l'habitant. Elle prélève une commission. 🏠 *(089) 168 87 81* • *www.bed-breakfast-muc.de*

10 Mr. Lodge

Cette société loue, en général pour des périodes de plusieurs mois, des résidences allant du F1 à la maison individuelle. Description détaillée sur son site Internet. 🏠 *(089) 340 82 30* • *www.mrlodge.de*

Renseignements sur les hôtels accessibles aux handicapés p.138.

Lexique

En cas d'urgence

Où est le téléphone ?	Wo ist das Telefon ?
Au secours !	Hilfe!
S'il vous plaît, appelez un docteur !	Bitte rufen Sie einen Arzt.
S'il vous plaît, appelez la police !	Bitte rufen Sie die Polize.
S'il vous plaît, appelez les pompiers !	Bitte rufen Sie die Feuerwehr.
Arrêtez !	Halt !

L'essentiel

Oui	Ja
Non	Nein
S'il vous plaît	Bitte
Merci	Danke
Excusez-moi	Verzeihung
Bonjour	Guten Tag
Au revoir	Auf Wiedersehen
Bonsoir	Guten Abend
Bonne nuit	Gute Nacht
À demain	Bis morgen
À la prochaine	Tschüss
À la prochaine	Servus
Qu'est-ce que c'est ?	Was ist das ?
Pourquoi ?	Warum ?
Où ?	Wo ?
Quand ?	Wann ?
aujourd'hui	heute
demain	morgen
mois	Monat
nuit	Nacht
après-midi	Nachmittag
matin	Morgen
année	Jahr
là	dort
ici	hier
semaine	Woche
hier	gestern
soir	Abend

Quelques phrases utiles

Comment allez-vous ? (familier)	Wie geht's ?
Bien, merci.	Danke, es geht mir gut.
À bientôt	Bis später
Où est/sont ?	Wo ist/sind… ?
À quelle distance se trouve… ?	Wie weit ist es … ?
Parlez-vous français ?	Sprechen Sie fränzosisch ?
Je ne comprends pas.	Ich verstehe nicht.
Pouvez-vous parler plus lentement s'il vous plaît ?	Könnten Sie langsamer sprechen, bitte ?

Quelques mots utiles

grand	gross
petit	klein
chaud	heiss
froid	kalt
bon	gut
mauvais	schlecht
ouvert	geöffnet
fermé	geschlossen
gauche	links
droite	rechts
tout droit	geradeaus

Au téléphone

Je voudrais téléphoner.	Ich möchte telefonieren.
Je rappellerai plus tard.	Ich versuche noch einmal später.
Puis-je laisser un message ?	Kann ich eine Nachricht hinterlassen ?
répondeur	Anrufbeantworter
télécarte	Telefonkarte
récepteur	Hörer
portable	Handiy
occupé	besetzt
faux numéro	Falsche Verbindung

Le tourisme

billet d'entrée	Eintrittskarte
cimetière	Friedhof
gare	Bahnhof
galerie	Galerie
renseignement	Auskunft
église	Kirche
jardin	Garten
palais/château	Palast/Schloss
place	Platz
arrêt de bus	Haltestelle
entrée libre	Eintritt frei

Les achats

Avez-vous/ Y a-t-il… ?	Gibt es… ?
Combien cela coûte-t-il ?	Was kostet das ?
À quelle heure ouvrez-vous ?	Wann?/ öffnen Sie ?
fermez-vous ?	schliessen Sie ?
ceci	das
cher	teuer
bon marché	preiswert
taille	Grösse
numéro	Nummer
couleur	Farbe
brun	braun
noir	schwarz
rouge	rot
bleu	blau
vert	grün
jaune	gelb

Les magasins

antiquaire	Antiquariat
pharmacie	Apotheke
banque	Bank
marché	Markt
agence de voyages	Reisebüro
grand magasin	Warenhaus
droguerie	Drogerie
coiffeur	Friseur
marchand de journaux	Zeitungskiosk
librairie	Buchhandlung
boulangerie	Bäckerei
boucherie	Metzgerei
poste	Post
boutique/magasin	Geschäft/Laden
photographe	Photogeschäft
self-service	Selbstbedienungsladen
marchand de chaussures	Schuhladen
magasin de vêtements	Kleiderladen, Boutique
alimentation	Lebensmittelgeschäft
verre, porcelaine	Glas, Porzellan

À l'hôtel

Avez-vous	Haben Sie noch
une chambre libre ?	ein Zimmer frei ?
avec des lits jumeaux ?	mit zwei Betten ?
avec un lit double ?	mit einem Doppelbett ?
avec une baignoire ?	mit Bad ?
avec une douche ?	mit Dusche ?
J'ai réservé.	Ich habe eine Reservierung.
clé	Schlüssel
portier	Pförtner

Au restaurant

Avez-vous une table pour… ?	Haben Sie einen Tisch für… ?
Je voudrais réserver une table.	Ich möchte eine Reservierung machen.
Je suis végétarien.	Ich bin Vegetarier.
Garçon !	Herr Ober !
L'addition, s'il vous plaît.	Die Rechnung, bitte.
petit déjeuner	Frühstück
déjeuner	Mittagessen
dîner	Abendessen
bouteille	Flasche
plat du jour	Tagesgericht
plat principal	Hauptgericht
hors-d'œuvre	Vorspeise
dessert	Nachtisch
tasse	Tasse
carte des vins	Weinkarte
verre	Glas
cuillère	Löffel
fourchette	Gabel
cuillère à café	Teelöffel
couteau	Messer
assiette	Teller
l'addition	Rechnung
pourboire	Trinkgeld

Lire le menu

Apfel	pomme
Apfelsine	orange
Aprikose	abricot
Artischocke	artichaut
Beefsteak	steak
Bier	bière
Bohnensuppe	soupe aux haricots
Branntwein	eau-de-vie
Bratkartoffeln	pommes de terre sautées
Bratwurst	saucisse grillée
Brot	pain
Brühe	bouillon
Butter	beurre
Ei	œuf
Eis	crème glacée
Ente	canard
Erdbeeren	fraises
Fisch	poisson
Forelle	truite
Gans	oie
gebraten	rôti
gegrillt	grillé
gekocht	bouilli
geräuchert	fumé
Geflügel	volaille
Gemüse	légumes
Gulasch	goulasch
Gurke	cornichon
Hähnchen (Hendl)	poulet
Hering	hareng
Himbeeren	framboises
Kaffee	café
Kalbfleisch	veau
Kaninchen	lapin
Kartoffelpüree	purée de pommes de terre
Käse	fromage
Knoblauch	ail
Knödel	boulette de pâte
Kuchen	gâteau
Lachs	saumon
Leber	foie
Milch	lait
Mineralwasser	eau minérale
Nuss	noix
Öl	huile
Petersilie	persil
Pfeffer	poivre
Pfirsich	pêche
Pflaume	prune
Rindfleisch	bœuf
Rührei	œufs brouillés
Saft	jus
Salat	salade
Salz	sel
Salzkartoffeln	pommes de terre à l'eau
Sauerkirschen	cerises
Sauerkraut	choucroute
Sekt	vin mousseux
Senf	moutarde
scharf	épicé
Schlagsahne	crème fouettée
Schnitzel	escalope de porc ou de veau
Schweinefleisch	porc
Semmel	petit pain
Spargel	asperge
Spiegelei	œuf au plat
Spinat	épinards
Tee	thé
Tomate	tomate
Wassermelone	pastèque
Wein	vin
Weintrauben	raisin
Wiener Würstchen	saucisse de Francfort
Zitrone	citron
Zucker	sucre
Zwiebel	oignon

Les nombres

0	null
1	eins
2	zwei
3	drei
4	vier
5	fünf
6	sechs
7	sieben
8	acht
9	neun
10	zehn
11	elf
12	zwölf
13	dreizehn
14	vierzehn
15	fünfzehn
16	sechzehn
17	siebzehn
18	achtzehn
19	neunzehn
20	zwanzig

Index

Remerciements

Auteur
Auteur et éditrice de nombreux guides de voyage et ouvrages de référence, le dr. Elfi Ledig est actuellement rédactrice en chef d'un magazine de santé. Elle habite Munich.

Pour Dorling Kindersley, Munich :
Direction éditoriale
Dr. Jörg Theilacker

Responsable éditorial
Gerhard Bruschke, Linde Wiesner

Collaboration éditoriale
Birgit Walter

Maquettiste
Dr. Alex Klubertanz

Texte d'appoint
Brigitte Maier, Georg Ledig

Photographies d'appoint
Julian Puttins, Georg Ledig, Wendelin Lomeg

Index
Dr. Bettina Jung

Pour Dorling Kindersley, Londres :
Édition
Douglas Amrine

Direction éditoriale
Helen Townsend, Kate Poole

Direction artistique
Jason Little

Cartographie
Casper Morris

Iconographie
Brigitte Arora, Romaine Werblow

Fabrication
Louise Daly

Coordination de la révision
Leah Thether

Édition et création d'appoint
Martha Bescoes Sanchez, Anna Freiberger, Jeremy Gray, Alison McGill, Marianne Petrou, Ellen Root, Barbara Sobeck-Miller, Julie Thomson

Pour International Book Productions Inc, Toronto :
Direction éditoriale
Barbara Hopkinson

Traduction
Elisabeth Schwaiger

Édition
Judy Phillips

PAO
Dietmar Kokemohr

Collaboration éditoriale
Ken Ramstead

Correction d'épreuves
Sheila Hall

Crédits photographiques
h = en haut ; hc = en haut au centre ; hg = en haut à gauche ; hd = en haut à droite ; cgh = au centre à gauche en haut ; ch = au centre en haut ; cdh = au centre à droite en haut ; cg = au centre à gauche ; c = au centre ; cd = au centre à droite ; cgb = au centre à gauche en bas ; cb = au centre en bas ; cdb = au centre à droite en bas ; bg = en bas à gauche ; bc = en bas au centre ; bd = en bas à droite ; b = en bas.

L'éditeur exprime sa reconnaissance aux particuliers, sociétés et bibliothèques qui ont autorisé la reproduction de leurs photographies :

Allianz Arena : Herzog/de Meuron 72hg ; Bavaria Filmstadt GmbH : 55b, 68b, 108hc ; Bayerische Landesbank : 136hg ; Bayerischer Hof : 59b, 144hd ; Blutenburgtheater : 44hd ; Club Morizz : 62hc, 62b ; Cortina Hotel : Fabrice Dallanese 147hd ; Deutsche Eiche : 62hg ; Geisel Hotels : 64hd, 65h, 144hg, 144hc ; Griesbräu zu Murnau : 119hg ; Hilton Munich City : 145hd, 145hg ; Hotel Astor : 146hg ; Hotel Jedermann : 148hg, 148 hc ; Hotel Königswache : 146hc, 146hd ; Hotel Residenz Passau : 143hd ; Internationales Dokumentar-filmfestival : 54hg ; Legoland Deutschland GmbH : 69hg, 69d, 138hg ; Lenbach : 64hc, 64b ; Mathäser : Jörg Hempel, Aachen 54hd, 55bd ; Max-Emanuel-Brauerei : 93hg, 93hd ; Muffathalle : 58b ; Münchener Biennale : 46hd ; Münchner Filmfestwochen GmbH : 46b ; Pasinger Fabrik : 44hg ; Porzellan und Pinselstrich : 101hd ; Pusser's : 60b ; Ratskeller München : 143hd ; Josef Schwab, Starnberg : 32b ; Tantris : 64hg ; Weinhaus Neuner : 85h ; Zirkus Krone : 68hc.
Fremdenverkehrsamt Mühldorf : 74hc. Tourismusamt München : 4-5 ; Bjarne

Geiges 7hd, 25hc ; Robert Hetz 1 ;
Kurverwaltung Garmisch-Partenkirchen :
117h, 117b, 119hd, 125c ;
Tourismusverband Starnberger Fünf-
Seen-Land : 7b, 70b, 73h ; Tourist-
Information Bad Tölz : 68hd, 74hd, 74b,
75h, 75d, 124hd, 126hg, 138hc.

Malgré le soin apporté à dresser la liste
des photographies publiées, nous
demandons à ceux qui auraient été
involontairement omis de bien vouloir
nous en excuser. Cette erreur sera
corrigée à la prochaine édition.

A1 Pix : 3bg. Alpines Museum,
München : 99hg. Archiv Wolfgang
Lehner/Wendelin Lomeg : 45d, 51d,
53hd, 55hd, 59d, 61hd, 61db, 65d, 73d,
135hg. Artothek : Bayer und Mitko
6cgb ; Schlaraffenland (1566) par Pieter
Brueghel 14-15c, 16hc ; Blauel/Gnamm,
L'Enlèvement des filles de Leucippe
(1618) par Rubens 15hg ; Le Jeu des
vagues (1883) par Arnold Böcklin 16hd,
37c, 97c ; Joachim Blauel, Bataille
d'Alexandre (1529) par Albrecht Altdorfer
14bc ; Portrait de Willem van Heythuysen
(1625-1630) par Frans Hals 15bg ; Le
Christ dépouillé de ses vêtements (v.
1579) par El Greco 15bc ; Le Déjeuner
dans l'atelier (1868) par Édouard Manet
16bg, 37hg ; Toni/Ott 34hc.

Bar Central : 84hg. Bau Munich : 63hd.
Bayerische Seenschifffahrt : 32hgc.
Bayerische Verwaltung der Staatlichen
Schlösser, Gärten und Seen : 3hg, 6bg,
12bd, 20-21c, 28bc, 29hd, 29hg, 29b,
30hg, 30hd, 31hd, 31cd, 34hg, 71c,
106bd, 106bd, 107hd. Bayerisches
Nationalmuseum : 36hd, 37bd.

Alois Dallmayr : 142hg. Deutsches
Museum München : 6hg, 8hg, 8c, 8cb,
8hd, 9hg, 9hd, 9cd, 9cdb, 9cgb, 10hd,
10hg, 11cdh, 11cgb, 10hc, 10b.
Deutsche Bahn AG : 133hg. DK Images :
74hg, 104hc, 107d, 107bd ; Demetrio
Carrasco 125hd. Deutsche Presse-
agentur GmbH : 2hg ; Picture Alliance/
Peter Kneffel 3hd ; Picture Alliance/
Scholz 116cd.

Easy Palace : 149hc.

Flughafen München : 132hd, 133hd.

Vera Gaudermann : 14cgh, 16cg, 17h,
17b, 18-19c, 19cd, 24-25c, 24cd, 25cd,
25b, 27cdb, 38hc, 42hc, 44b, 50hg,

50hc, 50hd, 51h, 52hg, 52hd, 54hc,
58hg, 58hc, 58hd, 60hg, 60hc, 60hd,
62hd, 66hg, 66hc, 66hd, 67h, 83hc,
83hd, 84hg, 84hc, 84hd, 88h, 90hg,
90hc, 91hg, 91hd, 92hg, 92hc, 92hd,
94-95, 99b, 105h, 108hg, 108hd, 109hg,
109hc, 109hd, 110hg, 110hc, 110hd,
111hg, 138hd, 139hc, 140hg, 140hc,
140hd, 142hc, 142hd, 148hd. Getty
Images : Stock4B-RF 32-33c.

Haus der Bayerischen Geschichte,
Bildarchiv : 34hd. Heimatmuseum Bad
Tölz : 124cd. Hussfeld und Zang : 109hc.

IFA-Bilderteam : Hollweck 22-23. IFA-
Images : 48-49, 52hc, 53d, 56-57, 80h,
81bg, 81d, 82hc, 130-131.
Internationale Münchner Filmwoche
GmbH : 54bg.

Jugendherberge Muenchen City : 149hg.

Landeshauptstadt München/Münchner
Stadtmuseum : 35d, 86cd. Georg
Ledig : 103hd, 116hg, 120hg, 120cd,
123h. Wendelin Lomeg : 100hc, 101hc,
102hg, 102hd, 103hg, 127h.

Werner Nikolai : 74hg.

Projects Unlimited : Christoph Knoch
83hc. Julian Puttins : 22g, 22cd, 22bg,
23h, 23cdh, 23c, 23bg, 24g, 46c, 47d,
139hd.

Herbert Schwinghammer : 97b.
Staatliches Museum Ägyptischer
Kunst, München : 21cd. Städtische
Galerie Im Lenbachhaus : Entwurf für
den Umschlag des Almanachs Der
Blaue Reiter, Wassily Kandinsky
© ADAGP, Paris und DACS, Londres
2005 118cd. Stadtmuseum, München :
89hg. Oda Sternberg : 42hg.

Tams Theatre : 45hg.

Unions-Bräu-Haidhausen : 103hg.

Zefa Visual Media : Damm 7cdb ;
Santos 26-27hc.

Couverture :
Première de couverture :
©Tibor Bognár/AGE Fotostock.
Quatrième de couverture :
©D. et M. Jarymowicz/DK Images
(bg) ; ©Cody Duncan/Alamy Images/
DK Images (bd).

Toutes les autres illustrations
© Dorling Kindersley London.
Pour de plus amples informations :
www.dkimages.com

Index des principales rues